RAGA

J.M.G. Le Clézio, né à Nice en 1940, est l'auteur d'une trentaine d'ouvrages – romans, récits, nouvelles et essais. Consacré par la parution du *Procès-Verbal* en 1963, il est l'un des plus grands auteurs contemporains.

J.M.G. Le Clézio

RAGA

Approche
du continent invisible

RÉCIT

Éditions du Seuil

TEXTE INTÉGRAL

ISBN 978-2-7578-0619-7
(ISBN 2-02-0089909-4, 1re publication)

À Charlotte Wèi Matansuè,
ma guide des hauts de Melsissi

Raga*

On dit de l'Afrique qu'elle est le continent oublié. L'Océanie, c'est le continent invisible.

Invisible, parce que les voyageurs qui s'y sont aventurés la première fois ne l'ont pas aperçue, et parce que aujourd'hui elle reste un lieu sans reconnaissance internationale, un passage, une absence en quelque sorte.

Lorsque Balboa découvre le Pacifique, après une traversée difficile de l'isthme de Panamá, il tombe à genoux sur la plage du Darién et prend possession de cette mer au nom du roi d'Espagne, sans se douter de son étendue. Sans doute pense-t-il déjà à la route vers l'Occident, qui doit permettre aux navires de rejoindre l'Orient et le Japon en suivant le soleil.

* Nom de l'île Pentecôte en langue apma (en langue sa : Aorea).

Persuadés de la rotondité de notre planète (ce dont beaucoup de marins ne doutaient pas avant même qu'elle ne fût officiellement affirmée), les géographes ont créé au XVIe siècle deux mythes, tous deux faux, et tous deux inspirateurs des grands voyages d'exploration. Le premier était le mythe d'Anyan, ce fameux passage du Nord-Ouest qui devait permettre aux navires de rejoindre l'Orient sans se risquer dans le laborieux voyage par l'Arabie et l'Inde.

Le deuxième fut le mythe du continent austral, cette masse de terre ferme qui devait, selon les géographes, maintenir l'équilibre du globe en servant de contrepoids au continent asiatique.

Quirós, Mendaña, puis Magellan, Bougainville et Cook partirent à la recherche de ce continent du Sud. Quirós pensa le trouver en touchant la première fois la côte de la Nouvelle-Guinée. Pour lui, la découverte de cette terre est un impératif moral autant qu'une nécessité politique : « Cette partie représente le quart du globe terrestre, et par son étendue peut avoir le double en royaumes et provinces de toutes les terres dont Votre Majesté est à présent le Seigneur, et tout cela sans l'inconvénient du voisinage de Mores ou de Turcs [...]. On y trouvera les Antipodes de l'Afrique, de l'Europe et de l'Asie majeure. J'avertis que les territoires que j'ai découverts dans les quinze degrés de latitude sont plus considérables que l'Espagne, comme il sera dit plus loin, et que tous les royaumes qu'on voudrait leur comparer, et qu'ils peuvent être dits, dans leur ensemble, un véritable paradis terrestre*. » Après Quirós, Bougainville et Cook ont corrigé son erreur : le navigateur portugais n'avait rien révélé que des îles, encore des îles. Cook est mort à Hawaï, *L'Astrolabe* et *La Boussole* ont naufragé dans des parages que Dumont d'Urville croira retrouver quarante ans plus tard. Torres, après une escale à Espiritu Santo (la première terre qu'il reconnaît après avoir quitté les côtes du Pérou en 1606), dresse des cartes si imprécises qu'aucun voyageur ne pourra retrouver cette île jusqu'à Bougainville, qui donne à l'archipel le doux nom de Grandes-Cyclades, puis à Cook, qui le baptise du triste nom de Nouvelles-Hébrides en souvenir de son pays natal. Torres avait poursuivi sa route jusqu'à la Nouvelle-Guinée (déjà mentionnée par Saavedra en 1528) en passant à la vue d'une pointe qu'il n'identifie pas et qui sera plus tard la Nouvelle-Calédonie. Le mythe du continent se continuera jusqu'à la fin du XVIIIᵉ siècle. Le grand géographe et cartographe Alexandre Dalrymple y croit toujours en 1770, peu de temps avant que les explorateurs anglais et français n'y atterrissent effectivement.

Autant parler de voyageurs du hasard.

Par hasard Flinders découvre la côte nord de l'Aus-

* Pedro Fernandes de Quirós, *Memoriales de las Indias Australes* (traduction de l'auteur).

tralie. Encore n'est-il pas vraiment conscient qu'il s'agit là d'un morceau du nouveau continent. Cette terre reconnue par la suite prendra le nom du continent austral longuement invoqué par les géographes. On l'attendait à l'équateur, on le croyait en Nouvelle-Guinée. Il était plus au sud, plus à l'ouest (puisque les voyageurs partaient des côtes d'Amérique). Mais déjà l'on avait cessé de croire que le globe avait besoin de lui pour garder son équilibre, comme une vulgaire toupie.

Ce que n'avait pas imaginé le mythe, c'était l'immensité de l'océan, ces myriades d'îles, d'îlots, d'atolls qui couvrent une surface grande comme les deux tiers de la planète, allant du tropique du Cancer (de Hawaï) jusqu'aux abords du pôle austral (à la pointe de la Nouvelle-Zélande) et de l'île de Pâques à l'est jusqu'à l'Indonésie à l'ouest, et jusqu'à Madagascar au sud de l'océan Indien. Un continent fait de mer plutôt que de terre, archipels, volcans émergés des profondeurs, récifs coralliens que les hommes ont peuplés selon la plus téméraire odyssée maritime de tous les temps. Un continent que les premiers voyageurs européens ont traversé sans le voir. Le continent du rêve.

Pour les peuples qui se sont aventurés les premiers sur cette immensité, il s'agissait bien d'une réalité. Furent-ils dès le commencement des marins audacieux, des aventuriers sans peur, ou des fugitifs qui n'avaient d'autre moyen d'échapper au danger qui les menaçait : guerre, bannissement, famine, ou catastrophe naturelle ? Sans doute tout cela à la fois. Pour Dumont d'Urville, les Polynésiens auraient été les survivants d'un continent englouti – une variation sur le vieux mythe de l'Atlantide. Pour G. S. Parsonson (*The Settlement of Oceania*), il ne fait aucun doute que les « habitants de l'Océanie ont été de tout temps de véritables sujets de la mer ». Il note que la première occupation, il y a environ dix mille ans, commença durant cette brève période de la révolution agriculturelle, lors de l'invention des outils néolithiques et de la poterie, qui eut pour conséquence une brutale augmentation de la population, et de ce fait une nécessité de terres nouvelles. Les marins de métier ont toujours été fascinés par cette aventure, sans doute la plus étonnante de l'histoire de l'humanité. Le capitaine Heyen (*Polynesian Navigation*) refuse la théorie de Sharp d'une émigration due au hasard des vents et des courants. « La diffusion de la culture polynésienne dans le Pacifique fut le résultat d'un effort délibéré et non d'un voyage accidentel. » Pour réussir cette aventure, les Mélanésiens et les Polynésiens durent mettre au point une série d'inventions géniales, qui ont encore cours aujourd'hui : la pirogue à balancier, le *ruerue*, la double pirogue transportant bétail et provisions, le catamaran ponté, les voiles en fibres de pandanus sur vergue mobile, la navigation en « tirant des bords » alternant la voile et la rame, le repérage au moyen des étoiles, les routes tracées au sol sur les îles. Heyerdhal, dans une tentative restée célèbre, tenta de démontrer que le peuplement de l'Océanie se fit d'est en ouest, à partir des côtes du Pérou.

La réalité, c'est qu'il n'était pas nécessaire de faire appel à la dérive hasardeuse de radeaux de joncs au gré des vents et des courants pour expliquer une telle audace. Le désir était au cœur de ces hommes, de ces femmes, il les poussait vers l'avant, il leur faisait voir un monde nouveau dont ils avaient besoin. L'urgence s'est jointe à ce désir et les a chassés vers l'horizon, contre vents et courants, dans la direction du soleil levant. Peut-être ces hommes cherchaient-ils à retrouver la terre de leurs ancêtres, là où vivent les morts? Peut-être témoignaient-ils de cette simple curiosité qui est dans la nature humaine, et qui fait que, s'ils avaient su que le monde se finissait dans un abîme sans fond où s'engloutissent la mer et la terre, ils seraient allés y voir?

Le « voyage sans retour »

La pirogue est un très long tronc d'arbre à pain évidé à l'herminette (l'*adze* des archéologues, une pierre polie insérée dans un manche en « bois de fer »).

Elle est profonde, sa coque en forme de V, et elle est reliée à tribord à un flotteur en bois de cocotier par trois longues branches de banian et des attaches en XX. Sur les bras du flotteur les hommes ont construit un plancher en bambou pour transporter les vivres, les plantes vivantes et l'eau douce. Au centre de la pirogue est attaché un mât en bois de banian auquel est fixée la voile en fibres de pandanus tressées, reliée à la tête de la pirogue par une corde, et en haut du mât à une vergue en bambou qui coulisse sur une poulie de bois noir.

Au centre de la pirogue, les femmes sont assises. Matantaré s'est enveloppée dans sa natte, elle tient contre sa poitrine son premier enfant, un bébé de six mois qui dort la bouche fermée sur le bout du sein. À côté d'elles, Matansi s'est lovée au fond de la pirogue, le vent et la pluie ont mouillé ses cheveux, elle geint un peu dans son demi-sommeil. Il y a des jours que la pirogue est en haute mer, les femmes et les hommes n'ont pas mangé, déjà on voit leurs côtes sous la peau, même Tabiri qui est naturellement un peu gros.

À la poupe et à la proue, les hommes pagaient. Matantaré écoute le bruit régulier des rames qui plongent en même temps dans la mer, un bruit qui coupe le sifflement du vent et le fracas des vagues.

Le vent a poussé constamment sur la voile quand ils ont quitté la grande terre, et ils ont cru que le voyage vers Raga ne durerait qu'un instant. Puis le vent a tourné, il souffle du sud et de l'est, il fait claquer la voile et grincer le mât, il pousse de grandes vagues sur les bords de la pirogue, il creuse comme une douleur, et, quand elle se couche pour dormir, Matantaré entend le glissement de l'eau contre sa joue, elle rêve qu'elle se noie.

Quand elle ne dort pas, Matantaré est assise bien droite sur le fond de la pirogue, sur les petites cannes de roseaux qui protègent les passagers de l'humidité. Elle regarde la mer. C'est semblable à un très haut mur, à une falaise, qui change de place tout le temps. Au sommet de la vague, il y a un petit nuage d'écume qui s'envole dans le vent.

Matantaré guette les signes.

Ce matin, quand elle s'est réveillée, elle a vu un

oiseau rapide et noir qui frôlait la surface de la mer. Elle a crié joyeusement son nom : « *Ichiiit !!* », et les hommes qui dormaient encore se sont réveillés et se sont mis à rire. Tabitan, le mari de Matantaré, lui a dit que ce n'était pas le même oiseau, que c'était un oiseau de la mer, de ceux qui peuvent voler pendant des jours et des semaines sans se poser sur aucune terre, jusqu'au bout du monde. Mais quand Matantaré a demandé son nom, il n'a pas pu le dire. Il n'en avait jamais vu auparavant.

L'oiseau a glissé un long moment silencieusement à côté de la pirogue, et même si ça n'était pas l'*ichiit* qui s'amuse à frôler la lagune en chassant des moustiques, Matantaré était contente de le voir, c'était un être vivant, peut-être un messager de la chance. Elle a écarté un pan de la natte pour que sa fille Matankabis puisse apercevoir l'oiseau, mais le vent froid a fait pleurer le bébé, qui s'est rendormi en tétant. Ensuite les hommes ont recommencé à ramer, sauf un bref instant, quand le soleil a éclaté au-dessus de l'horizon et que la vieille Matanwa leur a donné à manger, de la pâte d'igname dans une écuelle.

La mer est d'un bleu intense. Il n'y a pas de nuages dans le ciel. Lorsque la pirogue a quitté la grande terre, ils ont cru mourir. Le premier soir, en passant au bout de la grande terre, devant l'île des Hérissons, le vent s'est mis à tourbillonner, les vagues cognaient la pirogue en venant de tous les côtés à la fois. Tabitan a descendu la voile, de peur que le mât ne se casse.

Chaque vague montait vers la pirogue comme un animal en colère, et les femmes écopaient l'eau qui entrait dans la pirogue. Matantaré écoutait les craquements du flotteur, elle pensait que les vagues allaient défaire les attaches et arracher la plate-forme. Les hommes ramaient sans s'arrêter pour remonter le courant et fuir la côte. Puis la nuit est tombée d'un seul coup, et il n'y avait pas d'étoiles. Seulement le bruit des vagues sur les récifs, tout près, et les grincements sinistres du flotteur. Même Matansi a cessé de gémir, elle a aidé les femmes à écoper, et leurs mains se rencontraient au fond de la pirogue dans l'eau froide.

Les vagues recouvraient la plate-forme où étaient amarrés les plantes et les vivres. Malgré le bruit de la tempête, l'on entendait distinctement les cris de terreur de l'unique cochon dans sa cage de bambou. Puis, à un moment donné, les femmes ne l'ont plus entendu et, malgré les vagues, Matantaré a rampé jusqu'au centre du plancher en s'accrochant aux bras du flotteur et en tenant sa fille serrée contre sa poitrine. Elle a tâté la cage et à travers les barreaux elle a touché les poils du cochon qui ne bougeait plus. Elle a dit tout haut, pour elle seule : « Il est mort. »

C'est en revenant vers la pirogue que la vague l'a frappée si fort qu'elle a senti sa fille s'en aller. Elle a crié, de désespoir, et Matansi s'est jetée vers elle, sans la voir, et elle a rattrapé le bébé par un bras et elle l'a tiré vers le fond de la pirogue. Quand Matantaré est revenue dans la pirogue, tout son corps tremblait, de froid et de peur. Et quand elle a senti contre elle le petit corps chaud de sa fille, c'était comme si elle la mettait une deuxième fois au monde. Après, elle s'est couchée au fond de la pirogue, malgré l'eau de mer qui remplissait la coque, malgré le bruit du vent et les coups des vagues, et elle s'est endormie.

La nuit, quand la tempête est finie, le ciel est plein d'étoiles. La pirogue glisse sur le sommet des vagues, poussée par le vent du sud. Les hommes sont couchés à l'avant, appuyés sur leurs rames, ils dorment, ou ils rêvent. Le mari de Matantaré, c'est Tabitan, il est grand et fort, il s'est couché au centre de la pirogue à côté de sa femme, avec le bébé Matankabis entre eux deux. Il regarde le vent gonfler la voile dans la lumière du ciel, il écoute le bruit de l'eau calme qui coule le long de la coque.

Il regarde les étoiles naître au ciel. D'abord il voit le chemin, les trois étoiles alignées qui basculent de chaque côté du mât au gré du roulis. Puis, immense et éployé d'un horizon à l'autre, le grand oiseau Manu, comme l'appellent les gens de l'Est*. Ses ailes couvrent le ciel de l'ouest au nord-est, son corps brille d'un éclat très blanc, comme le corps des hirondelles

* Les noms des étoiles majeures et des constellations du ciel austral étaient connus dans la langue mao'hi dans tout le Pacifique. Manu, l'oiseau, évoquait le mythe de Tane, le dieu polynésien de la lumière, symbolisé par l'hirondelle de mer blanche. Ta'urua (Sirius), signifie la fête, et désigne aussi Vénus.

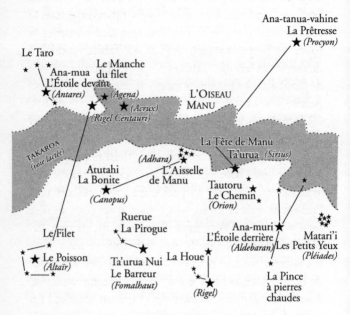

LE CIEL AUSTRAL

de mer, et, au creux où s'attachent les ailes, il voit distinctement les cinq étoiles de son aisselle. La pointe nord de l'aile, c'est Ana-tanua-vahine, la prêtresse ; la pointe ouest, c'est Atutahi, la bonite. Sa tête, c'est Ta'urua. L'oiseau Manu vole vers le sud, au-dessus de l'eau de la galaxie. Le chemin qu'il a parcouru tout le jour, quand il est invisible, indique aux hommes la route de Raga, la terre nouvelle où Tabitan a décidé de mener sa famille. Tabitan a sculpté la tête et le bec de l'oiseau à la proue de la pirogue, pour ne pas se perdre.

Il continue à regarder le ciel nocturne. Le filet qui capture les poissons à la bouche des rivières, où brille le poisson, et le long manche que tient le pêcheur. Il aperçoit aussi Matari'i, les petits yeux, pareils à une araignée sur sa toile emperlée de rosée. Allant vers l'ouest, il voit la racine du taro rouge, trois étoiles serrées autour d'Ana-mua, la géante du devant, et, plongeant parfois dans la mer, la grande pince à saisir les pierres brûlantes pour la cuisson des repas, et de l'autre côté, la houe qui a servi à déterrer la racine. Tout à fait au sud, le long de l'horizon, comme un reflet de leur propre voyage, Tabitan suit la dérive de la longue pirogue dont le barreur Ta'urua Nui s'est endormi…

La pirogue court sans efforts sur les montagnes mouvantes, et le ciel étoilé gire lentement au-dessus de son mât et de la proue à tête d'oiseau, comme un monde parfait, accompli. C'est comme si les dieux tenaient ces hommes et ces femmes dans leurs mains.

Chaque nuit, ce sont les mêmes dessins dans le ciel, même lorsque la mer et les terres changent de visage. Même lorsque la guerre et la faim poussent les hommes à remonter les mers vers des terres qu'ils ne connaissent que par ouï-dire.

Tabitan connaît bien les étoiles. Certaines sont froides, elles dardent une lueur méchante. D'autres sont douces et pâles, leur lumière rosée est semblable à la chair des femmes, à la chair de la racine du taro. D'autres encore palpitent près de l'horizon comme si elles venaient de naître. Sans elles, ni Tabitan, ni Tabiri, ni Matantaré, ni même la vieille Matansesé qui a vécu la durée de deux vies n'auraient voulu s'élancer vers l'horizon.

« Pourquoi veux-tu partir ? » a demandé un jour Matantaré. L'aïeule a grincé des deux dents qui lui restent sur les mâchoires. « Parce qu'ici on mange les gens. » Qui aurait envie de manger une vieille carne comme Matansesé ? Malgré le froid de la nuit après la tempête, Matantaré ne peut s'empêcher de rire.

L'étoile qui palpite au plus près de l'horizon, c'est le Premier Précurseur, comme on l'appelle, qui est suivi après minuit par le Précurseur Médian. C'est elle que Matantaré a vue, au moment où elle a expulsé Matankabis de son ventre, et c'est elle qui a donné l'âme de sa fille, et c'est pourquoi elle lui a donné le nom de cet instant de paix.

Le vent s'est adouci, il a maintenant le toucher léger d'une haleine, la tiédeur d'un corps endormi. C'est pourquoi les voyageurs se sont enfin assoupis.

Matantaré songe au futur. À Raga, on dit qu'il n'y a pas de guerre, ni de famine. L'eau y coule en abondance du haut des montagnes, et la terre est si fertile qu'il suffit de planter un bâton pour qu'il verdisse. Il suffit d'écarter les branches basses des arbres pour qu'un cochon sauvage vienne s'offrir aux flèches des chasseurs.

Elle pense aux champs qu'elle ensemencera, au taro et à l'igname qu'elle enfouira dans la terre, et qui se multiplieront pour lui donner à manger. Maintenant, la mer est calmée. Loin des récifs, la mer respire librement, elle gonfle son souffle, et la pirogue monte et descend sur les vagues dans un balancement puissant et régulier qui apaise les voyageurs. La joue contre les roseaux du plancher, Matantaré écoute la mer, le glissement de l'eau sur la coque, les bulles qui crépitent, le grincement du balancier, le vent dans la voile, et elle rêve.

La terre est proche. Tabitan a goûté l'eau de mer, il dit que dans deux jours, peut-être moins, ils arriveront à Raga. Il n'y a pas encore d'oiseaux, mais l'air est plus lent, la houle s'est alourdie, et des bancs d'exocets voltigent devant l'étrave.

Avec l'aide de la vieille Matansesé et de sa sœur Matansi, Matantaré a allumé un feu sur la plate-forme, à l'abri du vent. Armée d'une coquille acérée la vieille découpe le cochon en lamelles pour fumer la viande avant que les vers ne s'y mettent. Arrosées d'eau de mer, les lamelles se tordent sur le gril de bambou et répandent une odeur délicieuse. S'il n'y avait pas l'immensité du ciel et de la mer, cela pourrait être une partie de plaisir, une excursion pour aller dénicher les œufs des oiseaux ou pour aller pêcher des poissons de récifs ou des holothuries.

D'ailleurs les hommes se sont détendus. Allongés à l'avant de la pirogue, ils bavardent et rient fort, et de temps en temps ils jettent de petits cris enthousiastes à la vue et à l'odeur de la viande de cochon qui se prépare. À côté de Tabitan, son frère cadet Tabinwèl et son cousin Bouléourou ont oublié leur fatigue. Au soleil, leurs cheveux lourds et nattés brillent de la couleur de cuivre, leurs tatouages bleus luisent comme s'ils venaient d'être faits. Ils parlent de leurs futures chasses, ou des exploits qu'ils ont accomplis. Des femmes qu'ils épouseront, des grades qu'ils vont conquérir. Ces jacasseries agacent Tabitan. Il voudrait leur montrer où ils sont, en pleine mer, sans aucune terre en vue, ni le moindre oiseau pour l'annoncer, puis il y renonce et ferme les yeux en respirant le parfum de la viande rôtie.

Il y a des jours et des nuits. La pirogue n'a pas cessé d'avancer, parfois toute seule, poussée mollement par le vent oblique, parfois à la rame. Les hommes et les femmes ont la peau brûlée par le soleil, flétrie par l'eau de mer. Même Matankabis est à bout de forces. Le lait de sa mère a tari, parce que Matantaré ne boit plus qu'un peu d'eau au creux de la calebasse. Le lait traverse le corps de l'enfant sans la nourrir, au contraire elle maigrit de jour en jour, et sa peau est devenue grise et ridée comme celle d'une vieille. Elle passe son temps à geindre. Matantaré la serre contre sa poitrine, elle lui chante des berceuses mais elle pense à chanter un chant de mort.

Un matin, à l'aube, Matantaré se redresse. Tous sont endormis au fond de la pirogue, la voile flasque bat dans le vent intermittent. Et là, à l'horizon, nette et noire contre la lumière du soleil levant, elle aperçoit une île, puis une autre, les pointes des montagnes qui semblent émerger de l'océan.

Elle ne dit rien encore. Elle se dresse sur le plancher de bambou, Matankabis serrée dans sa natte, et elle regarde. Puis un groupe d'oiseaux blancs traverse le ciel au-dessus de la pirogue en cacardant, et les voyageurs sortent de leur torpeur. Ils se mettent debout, ils crient d'une voix aiguë, comme s'ils appelaient dans la forêt : aiiiiiiiii !

Ils se mettent à ramer de toutes leurs forces. Ils sont arrivés. Ce soir même, ils toucheront la première terre, ils offriront aux émissaires de Mata les cadeaux qu'ils apportent, les dents de cochon, la nacre et les nattes tissées par les femmes. Demain, ou plus tard, ils seront à Raga, ils retrouveront ceux qui les ont précédés, ils prendront possession des champs en défrichant la forêt, ils prieront les esprits du lieu de les accepter sur leurs terres.

Là, ils ne craindront ni la guerre ni la faim. Ils goûteront la première eau, bue à même la rivière qui cascade du haut de la montagne. Sur la plage de galets, ils construiront la première maison avec des branches et des palmes, ils poseront les trois pierres noires du foyer.

Raga sera pareille à un long corps noir couché sur la mer. Raga la silencieuse, aux pentes couvertes de fougères et d'arbres, Raga la muraille de lave aux sommets cachés par les nuages. Raga la mystérieuse, où ils ouvriront des chemins neufs, en frissonnant de crainte, entre les tombeaux des anciens disparus.

L'endroit où ils s'arrêteront porte déjà un nom, laissé par les légendes. Un nom qui bruisse et qui résonne comme le vent, comme la voix des feuilles et le murmure de l'eau froide de la rivière qui coule à leurs pieds.

Ce nom est : Melsissi.

Melsissi

Un village accroché à la falaise noire, au-dessus de la baie ouverte.

Sur un méplat de terre, comme un accident.

La plage est une étendue de galets gris, schistes plats, résidus coralliens, fragments de basalte polis par la mer.

La mer est ouverte, sauf une plate-forme de corail qui affleure la surface à l'aplomb du village. La rivière Melsissi descend de la haute montagne (le sommet le plus élevé de l'île Pentecôte, 870 m) en suivant les fractures. Elle se jette dans la mer à travers la plage, sans méandres, en torrent. Devant l'embouchure, une vague continuelle marque la rencontre de l'eau douce et de l'eau salée.

On ne peut pas oublier la montagne, où qu'on se trouve. Le village est pour ainsi dire agrippé à un mur noir sur lequel butent les nuages. Dans la montagne, la végétation est inextricable. Le long de la bande côtière, des plantations de cocotiers à moitié abandonnées, envahies d'herbes, alternent avec les prairies où errent des vaches indiennes.

Impression de solitude, d'éloignement. D'une vie arrêtée. Et pourtant, on ne peut oublier non plus que les gens d'ici, comme ceux d'Ambrym, d'Éfaté, de Malekulo, d'Ambae, d'Anatom, sont les fils et les filles de ceux qui jadis ont accompli l'un des voyages les plus audacieux de l'histoire humaine.

Charlotte Wèi Matansuè.

J'ai entendu parler d'elle à Port-Vila.

On m'a un peu raconté son histoire, comment elle a organisé une association de femmes afin de maintenir l'un des héritages culturels du Vanuatu, le tressage de paniers et le tissage de nattes en fibres de pandanus teintées. Je pensais trouver une militante, une sorte d'institutrice formée à l'école religieuse française, habituée aux meetings et aux réunions politiques.

Quand je suis arrivé au couvent de Melsissi, j'ai rencontré une femme d'environ quarante ans, petite et maigre, avec une masse de cheveux frisés et un visage intelligent. L'air d'une Malgache plutôt que d'une Mélanésienne, avec son teint cuivré, ses pommettes hautes et ses yeux en amandes.

Elle est venue me rencontrer. Un coup de téléphone de son oncle Vincent Boulékone l'a prévenue de mon arrivée. Les sœurs m'attendaient aussi, et tous les jours elle était venue au couvent.

Elle se tient sur le pas de la porte, l'air intimidé. Tout indique sa condition modeste, sa robe à fleurs usée, ses pieds nus dans des tongs fatiguées. Elle est debout, les bras croisés et les mains cachées sous ses coudes, à la manière des gens de ces îles. Je n'ai pas compris tout de suite que c'était elle, la militante des droits des femmes à Raga.

Sœur Simone nous a présentés. Nous avons échangé quelques paroles dans la cuisine, en attendant l'heure du dîner.

Le couvent de Melsisi est un lieu impressionnant. Par sa taille, ses bâtiments en parpaings de ciment, ses longues galeries à arcades, ses hautes fenêtres en bois. Le couvent occupe le haut du village, à l'endroit où l'on a une vue de 180° sur l'océan. Il parle de la puissance de l'Église catholique, du rôle joué par les missionnaires dans cet archipel lointain. Il symbolise aussi la transformation que traverse la communauté catholique dans le monde. Non d'un déclin, mais d'un changement fondamental qui doit aboutir à une institution nouvelle.

L'argent manque, les vocations se font rares. Dans cette coquille vide, un nouveau clergé est en train de se mettre en place. Les religieuses canaques ont remplacé les italiennes et les bretonnes. Sœur Simone est d'Ambae. Gladys, la novice, est de Raga. Elles parlent le bislama (la *lingua franca* des Ni-Vanuatu) mais aussi l'apma, la langue du centre de l'île. Sœur Gladys joue de la guitare, chante des chansons de Stone et Charden, de Keren Ann d'une jolie voix grave, un peu jazzy. Elles ne sont que deux pour s'occuper d'un couvent qui pourrait accueillir une cinquantaine de religieuses. Elles s'occupent de l'école, de l'infirmerie, elles organisent les fêtes et les cérémonies. Il y a des danses traditionnelles sur la place devant l'église, comme devant le nakamal, avec des tambours en racine de fougère. Il y a peu de temps, un séminariste est venu d'Éfaté. Il a vingt ans, il joue de la guitare, il boit le kava chaque soir avec les hommes du village sous le grand manguier. Il est drôle, sarcastique, totalement soupçonneux à mon égard. Je suis pour lui avant tout un Blanc, ce qu'il y a de pire au monde – impression qui n'est pas injustifiée si l'on songe à l'histoire de la colonisation aux Nouvelles-Hébrides. Il mange en silence le repas préparé par sœur Simone et s'éclipse en prétextant une réunion – sans doute le kava. Charlotte n'est pas restée pour le repas. Timidité, méfiance à l'égard des religieuses qui représentent la seule autorité. Et puis elle doit s'occuper de ses filles. Nous avons pris rendez-vous le lendemain matin pour aller au village d'Ilamre, dans les hauts.

Je marche dans la montagne avec Charlotte. La route est une ancienne piste qui part de Melsissi et escalade la falaise, presque en ligne droite, avec des pentes de quarante à cinquante pour cent. C'était autrefois la seule route carrossable qui traversait l'île d'ouest en est. Aujourd'hui on a du mal à imaginer un véhicule franchissant cet éboulis. Charlotte parle d'une moto trial qui faisait naguère le voyage entre Melsisi et les villages des hauts, jusqu'à Vanmelang. La piste a été cimentée autrefois, mais les tremblements de terre ont tout détruit, les pluies torrentielles ont tout raviné. Les seuls visiteurs vont à pied. L'herbe, les lianes et les broussailles ont recouvert la piste. Par endroits, il faut escalader en s'aidant de ses mains. Je parle de moi, puisque Charlotte monte sans difficulté, en sautant d'une roche à une autre comme un cabri. Elle est mince, musclée, ses jarrets et ses cuisses sont ceux d'une montagnarde. Pentecôte, l'île des pentes et des côtes, m'avait annoncé sœur Simone à mon arrivée. Je dois m'arrêter de temps à autre pour souffler. J'ai l'impression de monter les marches de l'Empire State Building.

À droite, je vois le grand ravin où coule la rivière Melsisi. Au-dessus de nous, le sommet de l'île se perd dans les nuages. Charlotte me raconte qu'elle en a fait l'ascension quand elle était enfant. La ressemblance avec la dent noire du Pieter-Both à Maurice est frappante. Je pense à l'escalade que mon père en a faite, quand il avait à peu près le même âge. Ce sont ces souvenirs qui font qu'on appartient vraiment à une île.

La différence entre Raga et Maurice, c'est qu'ici le temps semble s'être arrêté au premier chapitre de l'occupation humaine. Il n'y a pas de grandes cultures comme à Maurice, champs de canne, de thé, de gingembre. Il n'y a pas non plus ces gros villages dans les vallées, et pratiquement – hormis le couvent des sœurs de Melsissi et le Toyota tout-terrain de Noël qui m'a amené de l'aéroport – aucune trace du monde moderne.

À mesure que je gravis la pente et que se développe le corps allongé de l'île, vêtu de sa fourrure verte, c'est le sentiment inverse qui s'installe : à un certain point (avant l'indépendance sans doute, à l'époque de la grande rivalité entre Anglais et Français, protestants et catholiques), les habitants de ces lieux se sont détournés du progrès et de la vie moderne, ils se sont retournés vers ce qui les avait toujours soutenus, la connaissance des plantes, les traditions, les contes, les rêves, l'imaginaire – ce que les anthropologues ont schématisé sous le nom de *kastom*, la tradition.

S'il en était autrement, pourquoi ces gens habiteraient-ils si loin de la côte, obstinément dans ces hauts inaccessibles, nids d'aigle à des heures de marche les uns des autres, comme jadis au temps de leur première arrivée sur l'île ?

Ravines sombres, flancs des montagnes éclairés par le soleil. L'air devient transparent, léger, débarrassé de cette humidité en suspens qui voile la réalité comme une brume permanente, et pourtant, il me semble qu'à monter j'entre davantage dans le mystère.

Un bruit de voix monte du fond de la vallée de la rivière Melsissi. Non pas un chant, mais une sorte de cri scandé, régulier, aigu, puis grave, sans paroles. Charlotte m'explique qu'on est en train d'enterrer un homme qui est mort au village pendant la nuit. Avant-hier on l'a amené au dispensaire, suite à une intoxication alimentaire (un poisson avarié qu'il avait mangé). Après avoir reçu un traitement contre la dysenterie, il est retourné chez lui très affaibli, et il a fini par mourir. L'homme avait quarante ans, il était marié, avait des enfants. Ce sont les voix de ses parents qui montent du cimetière, au fond de la vallée. Dans cette nature sauvage, dans le silence, avec le soleil brûlant, ces cris psalmodiés ont un accent pathétique qui fait frissonner. En même temps, ils tressent une sorte de cata-falque sonore qui couvre la vallée, réveille les échos, semble rebondir de tous côtés, ils prennent possession de la montagne, parlent de la vie humaine à la manière des cris d'enfants, des appels des femmes, ou de l'odeur de la fumée qui monte des villages. Tous les habitants de la région sont allés à l'enterrement, y compris le séminariste catholique et le pasteur protestant.

Sur le chemin qui monte vers Ilamre, nous croisons des retardataires qui se dirigent vers le cimetière. Charlotte dit : « Il n'y aura personne au village, seulement les vieux et les enfants. »

C'est au long de cette ascension vers Ilamre que Charlotte me raconte l'histoire de sa vie. Comme je me fatigue vite, je m'arrête, et elle me parle. Son histoire est somme toute banale et triste. (Ah, les femmes battues, a commenté M.F. ... quand je lui ai parlé d'elle.) Mariée très jeune selon la coutume, son mari s'est révélé jaloux et brutal. Il la roue régulièrement de coups. Elle a de lui trois enfants, rien que des filles. Un jour, quand ses enfants ont grandi, elle décide qu'elle en a assez, elle quitte l'homme, et emmène ses enfants avec elle dans le village de sa grand-mère, à Ilamre. À Pentecôte, cela ne se fait pas. L'homme a payé le prix pour le mariage, la famille de sa femme est liée par un contrat. Les familles intercèdent, plusieurs fois l'homme promet de s'amender, mais chaque fois il recommence. Charlotte ne raconte pas le détail de la rupture, mais je peux imaginer à quel point cela a dû être difficile, dramatique même. Le mari est resté à Auak, son village natal, à quelques kilomètres d'Ilamre, dans les hauts. Toutes ces années de douleur, de larmes, de honte, elle les évoque en souriant, sans appuyer. Elle dit seulement que sa famille et ses filles ont toujours été avec elle, l'ont aidée. Il n'y a pas eu de divorce, ni de répudiation. Cela n'a pas cours à Pentecôte. Mais la rupture est maintenant définitive.

Timidement, avec une pudeur surprenante chez cette femme si forte, Charlotte parle de son nouvel ami qui vit dans une île voisine, et qu'elle va visiter de temps en temps. Elle sait qu'elle ne pourra sans doute jamais se marier avec lui. Elle sait qu'elle doit rester seule, faire face à la vie et élever ses filles sans aucun soutien. Elle n'exprime pas d'amertume, mais plutôt une paix intérieure qui n'est pas de la résignation mais du réalisme.

Quand j'écoute Charlotte, quand je l'observe – si vive, amusante, juvénile, avec quelque chose d'adolescent dans sa façon de parler, de rire, de bondir de roche en roche –, je ne peux m'empêcher de penser à la rencontre des femmes de ce peuple avec les grands ethnographes, Malinowski, Margaret Mead, John Layard, Jean Guiart plus spécialement. Se peut-il que ces femmes aient tellement changé en l'espace d'une ou deux générations ? Ou bien, auraient-ils oublié, ces grands théoriciens des sociétés primitives, des pans entiers des peuples qu'ils venaient étudier, toute cette quotidienneté dans laquelle les femmes sont particulièrement plongées, ces histoires d'abus sexuel, de violences conjugales, de jalousies ? La grande difficulté que les femmes ont à faire valoir leurs droits, quelle que soit la société dans laquelle elles se trouvent ? Je pense aussi à ces femmes africaines qui sont aujourd'hui sur le devant de la scène pour la lutte, pour affirmer leur droit au bonheur, leur droit à la parole dans les sociétés brisées par l'après-colonisation. Ou peut-être qu'ils ont simplement dit, eux aussi, ces grands observateurs occupés à recenser les peuples qui disparaissent, dans un soupir un peu désabusé : ah, les femmes battues…

Ilamre, c'est le «village en l'air».

Pour qui vient de la côte, cette frange de contact avec l'Occident industriel, zone de délabrement physique et culturel, ciment des appontements rongé par le sel, vestiges de la soi-disant grandeur impériale (Victoria, Napoléon III, Guillaume II), bâtiments de tôle rouillée et de béton à demi abandonnés, terrain de bataille des catholiques français et des presbytériens anglo-saxons, petites boutiques, cahutes où les plaques de zinc et les parpaings ont remplacé les murs de bambou tressé, avec sur tout cela l'air d'ennui qui flotte sur toutes les frontières du monde, l'arrivée dans les hauts ressemble à l'entrée au paradis.

À sept cents mètres, la falaise s'incurve en un plateau vallonné, couvert d'arbres, où s'ouvrent de vastes clairières. Ce n'est plus le mur de roches noires, ni les torrents obstrués par les lianes et les fougères arborescentes. Ici, la terre est rouge, argileuse, les grands arbres poussent librement, fromagers, arbres à pain, palmiers de l'espèce cycas. Ici l'air est léger, l'ombre fraîche. L'on peut oublier l'atmosphère oppressante du bas, cette impression un peu angoissante d'une pluie continue, même lorsque le ciel est bleu.

Le village d'Ilamre s'étend sur une grande partie du plateau. C'est le premier village important sur la route de l'est qui descend vers Tsinbwege. Un village sans rues, les maisons en bambou et toit de feuilles semées sans ordre sur ce tapis de verdure. Au centre, l'aire de danse en terre battue, et le kamal (la salle commune, en bislama : *nakamal*) construit selon le plan rituel de toute la Mélanésie, une longue maison aux murs de bambou recouverte d'un toit de chaume qui imite la forme d'un bateau renversé – la grande pirogue du voyage sans retour.

Depuis la place, on voit toutes les maisons du village jusqu'aux collines, et vers le sud le ressaut de la montagne mangée par les nuages. S'il n'y avait pas eu la rude grimpette pour y accéder, on pourrait se croire au centre d'un vaste pays, loin de la mer. Et, de fait, Ilamre donne l'impression d'être la vraie capitale de ce pays.

Pourquoi les habitants de ces îles (à Raga, mais aussi à Espiritu Santo, à Ambae, à Malekulo) ont-ils choisi de s'installer dans les hauts ? C'est comme s'ils avaient décidé, au terme de leur incroyable voyage, d'oublier la mer et de devenir des paysans. Est-ce si difficile à comprendre ? Après tout les Bretons ont fait de même, au VIe siècle, lorsqu'ils se sont embarqués sur des navires de peaux pour peupler l'Armorique. Et hormis quelques rares campements sur les plages, la plupart des sites d'habitation des premiers hommes ont été à l'intérieur des terres, dans la vallée encaissée de la Dordogne ou dans les savanes africaines.

Quand on arrive à Ilamre, et qu'on goûte à la paix des hauteurs, on comprend : là-bas, au-dessous, sur la côte, règnent les tempêtes, la peur des invasions, les fièvres, les moustiques.

Il y a cependant une ombre à ce tableau idyllique : ce sont les tremblements de terre. Le dernier, il y a une dizaine d'années, a ravagé le village et fait s'écrouler les rares édifices en béton armé construits après l'indépendance : la maison du chef Boulékone, la chapelle, la maison collective qui devait remplacer l'ancien kamal. Depuis, rien n'a été reconstruit. La preuve de la supériorité de l'habitat traditionnel en bois et feuilles a été donnée pour longtemps ! En bas, sur la côte, un tsunami a anéanti plusieurs villages jusqu'à Baie-Barrier au sud. C'est sans doute aussi une des raisons pour les habitants de choisir de vivre en hauteur.

L'éloignement est relatif. Quand elle va seule, ou avec ses filles, Charlotte Wèi doit monter à Ilamre en une heure, redescendre encore plus vite. Seuls les jeunes enfants et les gens âgés sont prisonniers de leur village. Mais le plateau vallonné qui les entoure peut leur paraître sans limites. C'est comme s'ils étaient suspendus en l'air au-dessus de l'océan dans un vol circulaire.

C'est ici, à Ilamre, dans ce lieu modeste et paisible, que sont fabriquées les plus belles nattes du Vanuatu. Les nattes sont de trois sortes, tressées selon la même méthode depuis les temps les plus anciens : *tsip*, la natte étroite et longue qui sert de jupe aux femmes ; *butsuban*, la natte pour dormir ; *sese*, la grande natte, qui n'est utilisée que pour les mariages et les grandes cérémonies. L'art de tresser les nattes est lié à la culture de Raga, il est son identité, sa fierté, et sa monnaie d'échange. Cet art est exclusivement réservé aux femmes.

Charlotte Wèi est à l'origine du renouveau de cet art. Lorsque, en 1980, après de longues luttes, l'archipel des Nouvelles-Hébrides a accédé à l'indépendance en prenant le beau nom de Vanuatu, le système traditionnel du troc s'est trouvé menacé par la rémunération en devises : on a créé une nouvelle monnaie, le *vatu* (en langue d'Éfaté, « la pierre »).

Les hommes qui allaient travailler loin de Raga, à Éfaté, ou en Nouvelle-Calédonie, se sont bien adaptés au changement. Pour les femmes, c'était plus difficile. Jusque-là, leur seule richesse, c'étaient les nattes qu'elles tressaient à leurs moments perdus, qu'elles échangeaient lors des rencontres, avec lesquelles elles constituaient les dots de leurs filles. Que vaut une natte en pandanus dans la société industrielle moderne ? Au sein de son association de femmes, Charlotte a réussi à faire admettre cet art dans le système monétaire du jeune État. Maintenant, les femmes de Raga peuvent payer marchandises et services avec leurs nattes, acheter des denrées de première nécessité, régler les médicaments du dispensaire ou les frais de scolarité de leurs enfants. Cela peut sembler folklorique dans le monde d'aujourd'hui, où même la monnaie est devenue virtuelle. Mais cela a été pour les femmes un des moyens de sauver leur indépendance économique et de s'intégrer à l'économie de marché.

Cela n'est anecdotique qu'en apparence. Dans les échanges commerciaux, l'argent (le billet de banque, la carte de crédit) ne représente qu'une petite partie des transactions. Ici les perles, là les noix de coco, ailleurs la tonne de nickel ou le baril de pétrole sont les vraies monnaies d'échange, c'est-à-dire des objets de consommation auxquels s'est ajoutée la valeur de travail, de rareté.

À Raga, l'essentiel du travail des nattes est réalisé par les femmes.

D'abord, elles doivent cueillir les feuilles de *wip* (le pandanus, cette palme qu'on appelle à Maurice *vacoa*). Après séchage, les feuilles sont passées à la flamme pour les assouplir, puis les femmes en extraient les fibres avec un couteau de bambou. Ensuite elles emportent les brassées de fibres jusqu'à la mer pour les laver et les blanchir au sel, les rincer longuement dans l'eau de la rivière et les remettre à sécher sur les plages. Quand les fibres ont été ainsi préparées (ce qui nécessite plusieurs jours), elles sont réparties entre toutes les femmes du village qui les emportent chez elles pour les tresser.

Le tressage se fait traditionnellement dehors, à la fraîche, avant la nuit, et c'est l'occasion pour les femmes d'échanger des histoires, de rapporter des cancans, des nouvelles.

Charlotte a contribué à la reconnaissance marchande de la valeur de la natte – donc du travail des femmes. Elle est surtout parvenue à une reconnaissance de leur statut dans la société traditionnellement machiste du Vanuatu. Longtemps exclues du kamal, les femmes maintenant ont le droit de s'y réunir plusieurs fois par semaine pour y comparer leur travail, et surtout pour parler de leurs problèmes. La natte est devenue pour elles un moyen d'accès au pouvoir. Ce n'est pas un petit progrès, et il ne doit rien à la mission catholique, ni aux discours des hommes politiques. C'est l'œuvre des femmes de Raga, et d'elles seules.

Les nattes ainsi tressées sont d'un blanc éclatant. Suit l'opération de la teinture. Elle n'est pas moins complexe.

Les dessins sont empruntés à un répertoire qui exprime l'origine même de la culture de Raga. Certains dessins sont simples, chevrons, losanges, rayures. D'autres sont plus compliqués, et forment de véritables tableaux symboliques. *Ungan rava*, la fleur d'hibiscus, *kain bu*, la forêt de bambous, *butsu metakul*, la face du soleil, *karauro*, l'insigne du rang, *marin bo*, les côtes du cochon, *ilin bwaga*, le plumage du râle*.

---

* Geneviève Mescam, Denis Coulombier, *Pentecost, an Island in Vanuatu*, Suva, University of the South Pacific, 1989.

Pour certains de ces dessins, d'essence ésotérique, la tisserande fait appel à un voyant, un homme ou une femme qui a été initié grâce à une plante magique (probablement le datura). C'est le voyant qui est chargé alors de préparer le «stencil» qui servira à imprimer le dessin. Dans une feuille souple prélevée sur le tronc du bananier il découpe à la lame de bambou le tracé du dessin. La teinture rouge provient d'une liane appelée *laba* (il en sera question plus loin, dans une légende) que les femmes vont chercher dans la forêt, près du bord de mer. La liane est écrasée jusqu'à former une pâte. Pendant ce temps, on fait bouillir de l'eau dans une sorte de long cylindre fabriqué autrefois avec l'écorce d'un arbre très dur appelé *kamptzi*. L'arbre aujourd'hui se fait rare, il a été remplacé par un morceau de tôle qui a le mérite de résister au feu (mais pas à la rouille). Sur un long bambou, la tisserande enroule la natte enveloppée dans son stencil en feuille de bananier. Le tout est plongé dans l'eau bouillante imprégnée de teinture et laissé à cuire pendant une heure. La natte est ensuite déroulée et mise à sécher jusqu'à ce que le dessin apparaisse dans les ouvertures du stencil. Les nattes les plus appréciées sont celles où le dessin apparaît avec netteté. Beaucoup de ces nattes sont faites sur commande, en particulier pour la célébration des mariages. Les autres sont stockées et échangées contre de la nourriture, parfois vendues pour de l'argent. Elles sont exposées lors des cérémonies de prises de grade, et c'est l'occasion pour les femmes de comparer, de s'inspirer, ou d'échanger leur travail.

Une histoire d'amour à propos des nattes

Il y a longtemps, au sud de Raga, raconte Charlotte Wèi, *vivait un chef très cruel nommé Tetpa. Il faisait sans cesse la guerre contre tous ceux qui vivaient là, pillait leurs réserves et volait leurs femmes et leurs enfants. À la suite d'une razzia contre le peuple Apma, il avait ramené une captive, une jolie femme du nom de Matanwip, ainsi nommée parce qu'elle était experte dans l'art de tisser les nattes. Le roi Tetpa la gardait jalousement et ne laissait personne s'approcher d'elle. Néanmoins elle allait chaque jour à la plage pour y laver les fibres de pandanus qu'elle mettait à sécher au soleil.*

De l'autre côté de la mer, à Ambrym, vivait un jeune homme du nom de Laba. Chaque après-midi, il voyait en face de lui, sur la plage de Raga, l'éclat de lumière des nattes qui brillaient au soleil. Cela l'intriguait. Un jour, il décida d'aller voir ce qui causait cette lumière. Quand il arriva avec sa pirogue à la plage, à Vasosoda, il découvrit les nattes et la belle jeune femme qui était en train de les laver dans l'eau de mer, et il tomba amoureux d'elle aussitôt. Il voulut l'emmener avec lui dans sa pirogue, mais elle lui demanda de se sauver avant que son cruel maître n'arrive et ne le tue. Laba ne l'écouta pas. Chaque matin, il traversait le bras de mer avec sa pirogue pour retrouver Matanwip et ils s'aimaient en cachette. Mais le roi Tetpa devint soupçonneux. Un jour, il se cacha derrière un buisson pour guetter et il surprit Laba au moment où il rejoignait Matanwip. Furieux, il prit sa lance et transperça le cœur de son rival, malgré les supplications de Matanwip. Laba rendit l'âme dans les bras de celle qu'il aimait et, avant de mourir, il lui confia un secret. « Quand je serai mort », dit-il dans son dernier souffle, « une liane poussera sur ma tombe, et avec elle tu teindras les nattes afin que mon souvenir reste toujours présent. » Depuis ce jour, les femmes de Raga impriment sur leurs nattes blanches leurs dessins faits avec le sang de la liane laba, et elles les mettent à sécher sur les plages, là où autrefois Matanwip rencontrait l'homme qu'elle aimait.

« Blackbirds »

Ce qui frappe le voyageur qui aborde aujourd'hui ces rivages, c'est leur aspect sombre, hostile. Falaises noires à pic dans l'océan, hautes montagnes cachées par les nuages. Hormis Éfaté qui semble avoir concentré toute l'activité d'une destination touristique jusqu'à la caricature (résidences et hôtels de luxe pour les lunes de miel, casinos, bars, boîtes de nuit et magasins hors taxes), règne ici une impression de désolation, d'abandon.

Les premiers explorateurs européens qui approchèrent de ces côtes, le Portugais Quirós, le Français Bougainville ou l'Anglais Cook, ont évoqué la même impression, comme si ces îles étaient restées figées dans la peur depuis des siècles. Ces voyageurs, il est vrai, ne venaient pas en toute innocence. Les premiers contacts furent brutaux. Après de longs mois de navigation, les marins demandaient à assouvir leur manque, de vivres, d'eau douce, de femmes. Toute

tentative de résistance de la part des habitants de l'archipel était sévèrement punie. Lorsque les pirogues
s'approchent des navires, l'équipage a reçu l'ordre de
tirer au mousquet sur les premiers à leur portée. Une
couleuvrine, un canon léger, achève de semer la
panique chez les curieux. Ils se soumettent, remettent
aux arrivants tout ce qui peut calmer leur colère.

Il n'y a pas eu, semble-t-il, la légende d'êtres surnaturels venus de l'est pour soumettre les Mélanésiens
ou les Polynésiens – si tant est qu'une telle légende
ait jamais existé chez les Indiens d'Amérique, et
qu'elle n'ait pas été inventée de toutes pièces pour
orner la conquête.

Les gens de ces îles ont compris tout de suite qu'ils
avaient affaire à des humains et mesuré la supériorité
de leurs armes et de leurs navires. Le résultat, c'est
qu'à mesure que, la voie ouverte, les bateaux français,
anglais ou espagnols commencent à arriver dans le
Pacifique Sud, les habitants des îles quittent les
rivages et se réfugient à l'intérieur des terres. Ceux
qui persistent à rester sur le rivage doivent abandon-
ner leurs villages et leurs récoltes dès qu'une voile est
signalée à l'horizon. Bougainville, Cook sont étonnés
d'entrer dans des villages où les repas sont encore
chauds, et les foyers encore allumés.

L'état d'esprit de cette première exploration, c'est
le pillage et l'accaparement systématique de la nourriture. On peut juger sévèrement ces voyageurs – ces
aventuriers – qui ont établi dès les premiers contacts

un système de prédation et d'abus. Certains le payèrent de leur vie, tombant dans des guets-apens, ou submergés par le nombre de leurs assaillants, ou trompés par l'apparente soumission et la douceur résignée des Mélanésiens. Les voyageurs européens étaient-ils si différents de ceux qu'ils dépouillaient et tuaient? Les razzias entre les habitants des îles devaient être une pratique courante, pour l'appropriation des biens et la capture d'esclaves. La différence était qu'ils ne venaient pas au prétexte d'apporter la morale et la civilisation, et que dans sa pratique, la guerre rituelle était sans doute moins meurtrière. En outre, ils n'apportaient pas avec eux l'arme fatale des épidémies.

Depuis le début du XXe siècle, on a pu mesurer ce qu'ont coûté, en pertes humaines, les expéditions de «découverte» des Européens et des Nord-Américains dans le Pacifique. Tom Harrisson, dans *Savage Civilization* fait un rapide calcul de l'effondrement de la population aux Nouvelles-Hébrides en un peu plus d'un siècle:

1800 : estimation à 1 000 000 d'habitants
1882 : 600 000 (estimation de Speiser)
1883 : 250 000 (estimation de Thomas)
1892 : moins de 100 000 (Colonial Office de Londres)
1911 : 65 000 (recensement du gouvernement britannique)
1920 : 59 000 (*idem*)
1935 : 45 000 (*idem*)

Les principaux responsables de la dépopulation furent, selon Harrisson, «les oreillons, la grippe, le choléra – épidémie de 1836 –, la variole, la tuberculose, la coqueluche, la scarlatine, la méningite, la diphtérie, en suivant à peu près cet ordre d'importance».

Parmi les causes de la dépopulation des Nouvelles-Hébrides, et sans aucun doute à l'origine du sentiment de désolation qu'on y ressent encore aujourd'hui, il y a le système de travail forcé imposé par les colonisateurs français et anglais, méconnu des métropoles, qui porta le nom de *blackbirding* et donna naissance à la légende noire de la conquête des îles du Pacifique. Entre 1850 et 1903, date à laquelle la loi australienne y mit officiellement fin, s'exerça dans les archipels, et particulièrement au Vanuatu, un commerce de main-d'œuvre prélevée de force qui était ni plus ni moins de l'esclavage.

Blackbird, merle noir, le nom est révélateur. Dans le bush australien c'était le surnom que les colons avaient donné aux Aborigènes, quand ils montaient une expédition de chasse à l'homme pour combler l'ennui de leur vie aux antipodes. Les Sud-Africains firent de même avec les Bochimans.

C'est le politicien de Sydney Robert Towne qui fut le premier à lancer l'idée d'une importation massive de main-d'œuvre – les Aborigènes ayant été décimés, et étant enclins à fuir les plantations pour retourner à pied chez eux. Le premier *blackbirder* officiel fut l'Australien Benjamin Boyd en 1847, rapidement suivi par beaucoup d'autres, de toutes nationalités. La conjoncture était favorable. Ayant épuisé les forêts de bois de santal et la pêche des holothuries et des tortues marines, entrepreneurs et armateurs trouvèrent un nouveau débouché dans l'achat et la revente d'êtres humains. La traite était interdite, en Angleterre et dans la plupart des pays civilisés depuis 1830 – en France depuis 1848. Les patrouilles anglaises surveillaient les mers du Sud afin d'intercepter les trafiquants d'esclaves.

Pourtant, le *blackbirding* s'est développé au moment où la fin de la guerre de Sécession a marqué l'arrêt de la traite avec l'Afrique. C'est en contournant les textes de loi que l'odieux commerce a pu s'installer.

Paradoxalement, ce furent la campagne abolitionniste aux États-Unis et la guerre civile qui déclenchèrent le trafic humain dans le Pacifique. Le prix du coton ayant décuplé par suite de l'effondrement des plantations dans les États esclavagistes du Sud des États-Unis, les Australiens en profitèrent pour développer la culture de cette fibre dans les zones tropicales de leur continent, dans le Queensland, autour de Brisbane.

Officiellement, le recrutement de cette main-d'œuvre se faisait en toute légalité. Chaque «engagé» signait un contrat qui lui octroyait dix shillings mensuels et la garantie d'un rapatriement après douze mois de travail.

La réalité fut tout autre. Les navires des *blackbirders* avaient dans leur équipage des miliciens fidjiens ou samoans armés de sabres et de fusils qui étaient chargés du recrutement. Les habitants des Nouvelles-Hébrides, des Salomon ou des Gilbert étaient attirés sur les navires par des distributions de cadeaux, et kidnappés pour être revendus sur les plantations de coton ou de canne à sucre, au Queensland, aux Fidji ou dans les mines de nickel de la Nouvelle-Calédonie. Les salaires étaient rarement versés, ou permettaient à peine aux travailleurs d'acheter leur nourriture dans les magasins des compagnies. La clause stipulant le rapatriement était la plupart du temps ignorée. Dans le cas où le rapatriement se faisait, les commandants des navires avaient l'instruction de débarquer les travailleurs mélanésiens sur la première île rencontrée, ce qui équivalait à les condamner à mort ou à être revendus aussitôt au prochain navire négrier[*].

Cette traite d'un nouveau genre, considérée avec une coupable indifférence par les autorités coloniales françaises et anglaises, donna lieu à des atrocités comparables à celles commises jadis par les trafiquants d'esclaves au service de la Compagnie des Indes.

[*] L'argument du contrat signé par les travailleurs recrutés de force n'était pas nouveau. Voltaire, dans ses écrits contre l'esclavage, cite Grotius pour qui l'esclavage se justifiait comme un acte volontaire établi par contrat entre l'esclave et son maître. «Qu'on me montre un seul de ces contrats, commente Voltaire, et j'y croirai!»

Afin de lever de plus en plus de main-d'œuvre, les bateaux organisaient de véritables razzias sur les côtes des Nouvelles-Hébrides. À Malekulo, à Espiritu Santo, à Pentecôte, à Ambae, des incidents dus au *blackbirding* sont à l'origine d'une répression brutale de la part des autorités coloniales. En 1878, en 1880, des villages sont incendiés, bombardés par les navires militaires. À la demande du gouvernement britannique, une commission d'enquête doit se réunir en Nouvelle-Calédonie, pour déterminer les responsabilités dans ces exactions. Mais avec la complicité des autorités françaises, les accusés sont sortis de prison et autorisés à quitter la colonie sans que le procès n'ait eu lieu. À Espiritu Santo, le navire de guerre anglais *Rosario* bombarde les villages, et les fusiliers marins tuent les cochons et détruisent les champs des habitants, en représailles à la révolte contre les navires *blackbirders* l'*Emily* et le *Clara*. À Ambrym, le navire de guerre l'*Albatros* exerce une punition aveugle contre les villages, à la suite de l'assassinat de colons anglais. En 1880, à Épi (au nord de l'île d'Éfaté), conséquemment à un kidnapping fait par un *blackbirder* anglo-français, une révolte éclate, aussitôt matée dans le sang par le navire de guerre le *Stanley* qui bombarde les villages et brûle les plantations.

Les chefs des expéditions négrières des *blackbirders* sont la « lie de la race blanche », selon Harrisson. Aventuriers sans scrupules, aux allures de pirates d'un autre siècle, tel Carl Santini, alias le « Captain One

Eye » qui jouait de son œil de verre pour effrayer les Mélanésiens, ou Proctor qui faisait de même avec sa jambe de bois. Moins pittoresques, mais non moins sinistres, les trafiquants tels que Murray sur le navire *Carl* procédaient de la même manière que les trafiquants sur les côtes d'Afrique. La plupart de ces crimes échappaient à la justice coloniale. Le témoignage des Mélanésiens, comme jadis celui des Noirs africains, était considéré comme irrecevable dans les cours de justice de l'Empire britannique. Quelques procès réussirent néanmoins à émouvoir l'opinion publique, comme lors du massacre d'un groupe de Mélanésiens de Paama qui avaient fui le bord du négrier *The Young Australian* qui les emportait aux Fidji, ou le massacre d'hommes enlevés à bord du navire *Hopeful* : le témoignage d'un survivant, nouvellement converti au christianisme, fut tout de même entendu à la cour de Sydney. L'homme raconta comment le chef de leur village avait été tué à coups de gaffe sur le pont du bateau, et la plupart des prisonniers révoltés fusillés à fond de cale à travers les écoutilles. Une fois de plus le procès n'aboutit pas à rendre justice aux victimes et innocenta les coupables, mais le récit du témoin du massacre commença à répandre au-dehors du cercle fermé de la Mélanésie la réputation de cruauté des *blackbirders*. Le commandant Markham fut chargé par l'Angleterre d'enquêter sur le sort des « engagés » et parla alors « des monstruosités inouïes commises par ceux qui pratiquent le commerce du travail, en vérité un système organisé de kidnapping*».

Le comble de l'horreur dans l'opinion publique fut atteint en 1872 lors de l'assassinat de l'évêque Patterson au cours de sa visite à Ambae, à cause d'un fameux *blackbirder* qui abordait cette île déguisé en religieux pour procéder aux enlèvements. Ces affaires émurent la reine Victoria, et la même année fut voté à Londres le Kidnapping Act qui mettait hors la loi tous les *blackbirders*. Mais l'odieux commerce n'en continua pas moins à fleurir, et il fallut attendre le vote à Sydney du Pacific Islands Labourer Act en 1903 pour que fût mis fin au système – moins pour des raisons humanitaires qu'à cause de la crainte que commençaient alors à ressentir les propriétaires australiens de voir la population noire les dépasser en nombre dans la colonie.

Longtemps ignorée, ou regardée comme une simple anecdote dans l'histoire coloniale du Pacifique, la pratique du *blackbirding* a contribué à la désolation de l'archipel des Nouvelles-Hébrides. Selon Joël Bonnemaison**, entre 1863 et 1904 (la dernière année du trafic), le Queensland importa 60 819 Kanaks, dont au moins la moitié furent prélevés aux Salomon et au Vanuatu. Les planteurs de canne des Fidji dans le même temps en importèrent 20 000, et les mines de

---

* Voir Charlène Gourguechon, *L'Archipel des tabous*, Paris, Laffont, 1974.
** *L'Arbre et la Pirogue*, Paris, ORSTOM, 1986.

Nouvelle-Calédonie le même nombre. Une grande quantité de Mélanésiens furent également envoyés dans la colonie allemande des Samoa. Au total, cette seconde moitié du XIXᵉ siècle avait prélevé plus de 100 000 Mélanésiens, hommes et femmes, dont la plus grande partie ne retourna jamais sur sa terre natale. C'est cette hémorragie que l'on perçoit encore aujourd'hui, cent ans plus tard. L'impression d'angoisse qui plane sur ces rivages, l'isolement des villages perchés au flanc des montagnes, parlent encore du temps maudit où chaque apparition d'une voile sur l'horizon semait la crainte chez les habitants.

Et lorsqu'on lit les récits de voyage des ethnographes de la première moitié du XXᵉ siècle, c'est cela qui frappe : l'enfermement des survivants, leur continuelle défiance à l'égard de la société occidentale, l'hostilité vis-à-vis des tentatives de colonisation et de l'introduction des techniques nouvelles ; culture du cacao ou du café, usines à coprah, ou simplement routes et plans cadastraux. Parfois le retour aux valeurs ancestrales, qui a inspiré les révoltes successives, jusqu'à l'indépendance. Non par la conviction des Mélanésiens que leur ancienne culture était supérieure, mais par la certitude du mensonge et de la fourberie qui accompagnaient tout commerce avec les étrangers.

Je marche sur la plage de la baie Homo, à Pangi. Ceci est peut-être l'un des plus beaux paysages du monde.

La baie est immense, à peine incurvée. Elle va du tas rocheux qu'on appelle plaisamment ici Cook's Hat, le Chapeau de Cook – et, de fait, on imagine bien en le voyant l'extravagant galure coiffant la tête du navigateur –, jusqu'à la pointe Rambutor au sud. À l'horizon, il y a l'amoncellement de nuages qui signale Ambae, et, de l'autre côté de l'horizon, Malekulo ; à l'autre bout les formes bleutées des volcans d'Ambrym.

La mer est d'un bleu pur, non pas le turquoise des lagons qui plaît tant aux touristes, mais un bleu sombre, violent, profond. À Pentecôte, il n'y a pas de barrière de corail. L'île est une seule longue crête volcanique jaillie des abysses, elle possède quelque chose de la majesté des commencements quand, après des millions d'années de pluies et de tempêtes, s'est formé l'océan, simplement le ciel tombé sur la terre et noyant les vallées où affleurait encore le magma.

La dernière catastrophe géologique a eu lieu il y a environ quatre cents ans, quand, à la suite d'une éruption, l'île centrale de l'archipel s'est effondrée, noyant tous ceux qui y vivaient. Sur le lieu du séisme il ne reste aujourd'hui qu'une poignée d'îlots, les Shepherd Islands, du nom d'un des officiers de Cook. Parmi elles la mystérieuse Tongoa, où des stèles de basalte symbolisent la place que chaque homme et chaque femme occupait sur la pirogue initiale.

Je marche sur la plage de galets (débris coralliens et lave mêlés) le long de la ligne sombre des arbres, veloutiers et badamiers comme à Maurice, et derrière eux les gigantesques banians.

De modestes voiliers, venus de Nouvelle-Zélande et d'Australie, et plus au large, à son mouillage, l'extraordinaire *Boudeuse* sur laquelle j'ai fait une partie de la route. N'importe où au monde les bateaux étrangers attireraient une foule de badauds, de petits marchands de fruits ou de pacotille folklorique sur leurs pirogues à balancier. Ici, c'est un silence poli, une indifférence que j'imagine mêlée d'hostilité. Seuls quelques gosses jouent avec les badames sur la plage. À l'ombre des banians, deux ou trois vieux observent sans parler.

Comme j'en fais la remarque au chef Willie (Willie Orion Bebé, chef coutumier de Pangi, propriétaire de l'unique hôtel – des bungalows sur la plage qui accueillent les touristes à la saison du saut du Gol), il me raconte cette étrange histoire, à verser au dossier des *blackbirders* :

« Ici même – il montre l'appontement de béton armé construit pour accueillir Sa Majesté Elizabeth II lors de son unique visite au Vanuatu au moment de l'indépendance –, il est survenu un événement que personne n'a oublié. Cela s'est passé au temps de mon arrière-grand-père, alors que nous n'étions pas chrétiens et que nous vivions selon la coutume à Bunlap. »

Le chef Willie est un homme d'une cinquantaine d'années, qui a vécu plusieurs vies avant de se lancer dans le business – il possède une société d'import-export et son hôtel de la baie Homo. Son nom, m'a-t-il expliqué, vient de ce qu'il appartient au clan des Requins (*Bé*, en langue sa). En fait, le bruit court au sud de l'île qu'il est le plus dangereux requin de la baie Homo, et c'est pourquoi ces squales ne s'y aventurent que rarement. Mais il est intelligent et sympathique, et nous entretenons d'excellents rapports.

Il avait une vingtaine d'années quand la reine et le prince Philippe ont débarqué du yacht royal à la baie Homo, sur la jetée qu'on y voit encore. La plage, la côte tout entière, étaient noires de monde. Les habitants de Pentecôte, d'Ambrym et des autres îles étaient venus voir le couple royal. La presse anglaise de l'époque a dû relater en long et en large l'enthousiasme des indigènes à la venue de leur souveraine. L'histoire que me raconte maintenant Willie donne une version assez différente de ce zèle :

« Ici même, devant la plage », reprend Willie, « se trouvait autrefois un village de pêcheurs qui a disparu. Un jour, les gens du village ont vu à l'horizon une grande voile, et c'était un grand bateau noir, avec des mâts très hauts, plus grand encore que le bateau sur lequel tu as voyagé. Au village, tout le monde avait peur, parce que nous savions déjà que les Blancs qui venaient sur ce bateau étaient mauvais, qu'ils volaient et pillaient tout, qu'ils enlevaient les hommes et les femmes pour les vendre très loin.

Alors ils se sont sauvés vers la montagne et ils se

sont cachés dans la forêt, en attendant que le bateau reparte. Mais sur la plage, devant le village, ils avaient oublié un enfant, une petite fille de onze ans qui s'appelait Vévéo, comme la palme avec laquelle les femmes tissent leurs nattes. Elle était restée là, sans bouger, à regarder les hommes qui arrivaient dans leurs barques, et elle ne savait pas qu'ils étaient dangereux. Quand ils ont abordé, les hommes ont fait comme à leur habitude, ils ont emporté les cochons et les poules, et les racines de taro et les ignames, et puis ils ont mis le feu au village, parce qu'ils étaient en colère d'être venus pour rien. La petite fille Vévéo est devenue leur prisonnière, ils l'ont emmenée sur le grand bateau, et elle avait beau crier et supplier, ils l'ont emmenée quand même, et ses parents ne l'ont plus jamais revue. »

Il s'arrête, il regarde l'horizon comme si ce qu'il racontait s'était passé hier, comme s'il l'avait vu de ses propres yeux. Au loin au milieu de la baie, le grand bateau noir sur lequel je suis venu tourne lentement sur son erre, et j'imagine que Willie a pu croire un instant que c'était le bateau de la légende qui revenait.

Les Mélanésiens sont très attachés à leurs enfants. Le chef Willie a plusieurs fils, dont un qui participe chaque année au saut du Gol. Mais celles qu'il préfère, ce sont ses deux filles les plus jeunes, Nelly et Daisy, âgées de seize et quinze ans, et la santé de cette dernière le préoccupe. Pour lui, comme pour tous les gens de Raga, il n'y a rien de plus dramatique qu'un enlèvement d'enfant, et tout à coup sur cette plage vide je comprends le sentiment d'angoisse qui imprègne encore ce paysage, où s'est déroulée cette scène dramatique. Ce doit être la même angoisse que ressentent souvent les habitants des rivages du Sénégal, là où opéraient les trafiquants d'esclaves. Le même sentiment qui imprègne encore aujourd'hui la baie de la Rivière Noire, à Maurice, où les bateaux négriers débarquaient en cachette leur cargaison de captifs.

« Personne n'a su ce qu'était devenue Véveo. Mais on raconte que le bateau l'a emmenée très loin, dans un pays qui s'appelle Kwinsala (Queensland). On dit qu'elle était malade en arrivant et que, comme ils ne savaient pas quoi faire d'elle, ils l'ont donnée à un vieil homme noir qui travaillait sur les plantations, et qu'elle est devenue son esclave. Ici, les gens du village l'ont attendue. Chaque jour, sa mère et ses frères guettaient son retour. Ils attendaient que revienne le grand bateau noir. Puis ils sont morts, et leurs enfants ont cessé d'attendre. Mais ils savaient qu'un jour Véveo reviendrait, que les Blancs rendraient l'enfant qu'ils avaient volée. »

Le môle construit pour le débarquement de la reine Elizabeth est bien endommagé. Le béton rongé par la mer montre son armature rouillée. Les marches ont été rompues par les tempêtes. Personne ne le répare, et il ne fait pas de doute que dans quelques années il aura complètement disparu. Mais Willie reprend le fil de son histoire :

«Alors, quand les gens d'ici ont su que la reine devait venir, ils l'ont attendue. Ils l'ont su avant même que le gouvernement ne l'annonce. Quelqu'un l'avait rêvé, et cela devait se réaliser. La reine viendrait ici, elle toucherait la terre à l'endroit même où Véveo avait été enlevée. Ce n'était pas l'enfant qui revenait, mais la reine rendait justice aux gens d'ici, elle amenait avec elle son mari le prince consort, pour qu'il prenne la place de Véveo.

C'est pourquoi les gens l'ont acclamée quand elle est descendue. Mais leur espoir a été déçu, parce qu'elle a remporté le prince avec elle, et la justice n'a pas été rendue.»

Un prince de sang contre une petite Mélanésienne, après toutes ces années, l'échange était valable. Bien entendu les Anglais n'ont rien vu, rien compris. Au lieu de cela, pour plaire à la reine, des gens inconscients ont organisé pour la suite royale un saut du Gol, au sud de l'île, à Point Cross, un endroit où cela ne s'était jamais fait. La saison n'était pas favorable, les lianes trop sèches ont cassé, et le plongeur s'est rompu l'échine. La reine et le prince l'ont-ils su? Willie bougonne en secouant la tête. «On a dit que c'était à cause des lianes. Ce n'est pas vrai. C'est l'esprit du Gol qui n'était pas venu. Sans l'esprit personne ne peut sauter du haut de la tour et repartir vivant.»

À Ambrym, à Tanna, les Mélanésiens attendaient aussi le prince Philip. Avec la spontanéité inventive des peuples qui vivent leurs mythes, ils ont fait entrer cet homme dans leur culte au héros libérateur John Frum, qui viendra balayer tous les étrangers et rendra les habitants des îles à leurs traditions ancestrales. Des anthropologues hâtifs et des cinéastes en quête de sensationnel ont inventé avec cela le fameux « culte du Cargo », dans lequel le prince doit un jour libérer tous les secrets qui donnent l'abondance. La vérité est toujours plus complexe dans sa simplicité. Véveo, l'enfant enlevée sur la plage noire de Pangi, reviendra un jour, et commencera alors l'âge d'or, celui qui remet les pendules à la première heure et lave d'un seul coup des siècles d'humiliations et de pauvreté.

Taros, ignames, kava

À Raga, il y a la magie des plantes.

Raga, comme beaucoup d'îles volcaniques, Tahiti, Martinik, Maurice, la Réunion, est avant tout le pays des plantes.

Matantaré, Matansesé, Tabitan, Matanwip, après avoir navigué pendant des semaines sur leur pirogue à balancier, ont enfin touché terre.

Ils étaient partis pour ne jamais revenir.

Là-bas, dans la grande terre qu'ils avaient fuie, la guerre avait tout détruit. Les enfants et les vieillards mouraient lentement sur place, pareils à des fleurs qui s'assèchent. Ils mouraient en si grand nombre qu'on ne prenait même plus la peine de les enterrer. Leurs cadavres étaient dévorés par les chiens et les cochons sauvages. Leurs os étaient blanchis par les fourmis.

L'île est un haut mur de pierre noire qui barre l'horizon. Au crépuscule, les sommets disparaissent dans la brume. Sur les rivages de galets, les arbres sont grimaçants. Les banians sont la demeure de démons.

La troupe de voyageurs a campé sur la plage. C'est une grande baie ouverte de galets gris, qui s'achève par une plate-forme de corail. Avant la nuit, Matantaré et les femmes sont allées pêcher dans les flaques avec leurs harpons de bois de fer. Elles ont rapporté quelques coques, des hourites, des holothuries qu'elles ont mises à cuire sur des pierres plates chauffées à la braise. Enfin la nuit est tombée, et c'était une nuit sans lune, silencieuse, avec seulement le bruit du ressac et la pluie fine qui tambourinait sur les palmes.

Mais, après tous ces jours de mer, Matantaré s'est endormie d'un coup, en serrant sa fille sur sa poitrine. Personne n'a veillé. Sous les voyageurs endormis, l'île bougeait comme un grand animal marin, lentement, balançant, creusant ses reins.

À l'aube, les hommes sont partis à la recherche de leurs champs. Sur les pentes abruptes, il y a quelques méplats, des balcons formés par les éboulements. La rivière chante non loin. Avant de défricher, Tabitan doit prier les esprits des ancêtres, afin qu'ils accordent aux vivants le droit de s'installer, de creuser la terre, de planter les semences. Les esprits sont partout dans la montagne. Ils habitent au fond des grottes, mais ils sont aussi dans les troncs des grands arbres, dans les feuilles des plantes, dans l'eau de la rivière. Ils vivent aussi dans la mer, ils ont le corps des anguilles ou des strombes.

Hommes, femmes, enfants ont travaillé sur ces pentes cailouteuses. Ils ont déraciné les arbres, terrassé, épierré, tracé les drains, allumé les feux qui achèvent de nettoyer le sol. Ensuite ils ont enterré les pierres magiques qu'ils ont apportées de leur île natale, les pierres à igname, les pierres rouges pour les taros, les graines de calebasse, de chou, de giraumon. Sur la hauteur, dans une clairière, ils ont établi le premier arbre à pain. Dans un verger, ils ont planté le jacquier, l'anone, le jamlongue, l'oranger. Ils ont semé les graines de litchi, les ambrevades, le piment.

Sur un plateau d'où on voit la mer, ils ont construit leurs maisons. Ce sont des huttes de branches, avec des toits de feuilles. La maison des hommes est grande et belle, avec sa longue salle où l'ombre est fraîche le jour et douce la nuit. Les pieds nus des femmes ont battu la terre sur l'aire de danse. Sur les poutres maîtresses du kamal, les hommes ont accroché les mandibules de cochon qu'ils ont emportées dans leur voyage, enroulées dans une natte. Les dents en spirale sont l'image du temps, des lignées qui ne s'éteindront pas.

Quand ils ont terminé tout cela, cette terre est à eux. Non comme s'ils la possédaient pour l'éternité, mais pour qu'ils en vivent et en jouissent. Cette terre leur a été donnée par les esprits des morts pour qu'ils continuent leur histoire. Elle est un être vivant qui bouge et s'étend avec eux, leur peau sur laquelle passent les frissons et les désirs.

Peut-être que pendant ces premières nuits sur Raga ils se souviennent. Peut-être que pendant ces premières années, alors que les racines du foyer ne sont pas encore profondément agrippées à la terre, et que l'esprit de la mort peut encore les emporter dans la mer, ils se racontent les histoires de la genèse, comment les premiers hommes sont apparus sur la terre. C'est un conte, un rêve, encore tout proche, et Matankabis ouvre grandes ses oreilles et écarquille ses yeux d'enfant, et plus tard, elle racontera cela à ses propres enfants :

Au commencement, il n'y avait pas d'hommes ni de femmes. Les habitants des îles étaient faits de pierres. En ce temps, les hommes-pierres ne connaissaient pas les femmes. Ils ne connaissaient pas non plus le goût de la nourriture cuite. Les hommes-pierres se nourrissaient seulement de racines crues et froides comme eux.
Parmi les hommes-pierres vivait un jeune homme nommé Kooman, qui habitait dans la maison de sa

mère. Un jour, au cours d'une chasse, il rencontra une femme très belle nommée Penoa. Il l'invita chez sa mère et lui offrit à manger, mais elle n'aimait pas les racines crues qu'il lui donnait. Elle partit dans la mer, et avant de partir promit de revenir avec la nourriture que mangent les vrais humains, de l'autre côté des mers.

Elle tint promesse, et elle revint en apportant toutes ces nourritures, l'igname, la racine de taro, les bananes, et même du gibier qu'elle fit cuire sous la terre après avoir allumé un feu en frottant deux bouts de bois. Dans la maison de Kooman, tous voulurent goûter à cette nourriture et la trouvèrent excellente. Alors Kooman et Penoa se marièrent, et quelque temps après naquit une première fille, nommée Nemei. Et tous vivaient dans l'abondance.

Mais un jour, tandis que Kooman et Penoa étaient allés dans les champs, la grand-mère de Nemei la battit parce qu'elle avait uriné sur sa jupe. De là où elle était, Penoa entendit sa fille pleurer et elle se mit en colère contre les hommes-pierres, elle leur dit qu'elle ne pouvait plus rester avec eux et qu'elle s'en retournait avec sa fille de l'autre côté de la mer. Et c'est ce qu'elle fit, elle s'enfonça dans la mer en tenant le bébé dans ses bras et elle disparut pour toujours. Alors le feu s'éteignit, et les hommes-pierres recommencèrent à vivre comme avant, en mangeant froid.

De longues années plus tard, cependant, Nemei reparut. Elle sortit de la mer et elle revint habiter chez

son père, et elle épousa un des fils de Kooman. Alors
commença la lignée des humains, qui appartiennent
à la fois à la terre et à la mer, et qui ont appris à faire
du feu et à manger leur nourriture cuite sur les
pierres chaudes*.

Aujourd'hui, Raga est un jardin. Celui qui arrive ici, par la mer ou par les airs, peut croire arriver dans une île sauvage, une sorte de paradis perdu intouché par l'homme. On n'y voit pas de champs, et les plantations de cocotiers qui subsistent le long de la côte sont les reliquats de la colonisation. Elles sont envahies de mauvaises herbes, la plupart à l'abandon. Elles portent encore les noms des grands propriétaires terriens venus d'Europe ou d'Australie au début du XXe siècle : le capitaine Martelli au sud de l'île, la concession Combet à Pangi, la concession Champignon-Thévenin, les domaines de la mission à Baie-Barrier ou à Melsissi. Entre Pangi et l'aéroport, on passe à travers l'immense concession de la Société française des Nouvelles-Hébrides, où l'on tenta de développer les caféiers et de créer des ranchs d'élevage comme en Nouvelle-Calédonie.

L'indépendance a mis un terme à ces grands domaines. Les habitants de Pentecôte, après le départ des colons, sont retournés à leur système traditionnel, dans lequel la terre n'est pas une propriété mais

---

* D'après Joël Bonnemaison, *L'Arbre et la Pirogue, op. cit.*

plutôt un accord mystique passé entre les hommes du lieu et les esprits des ancêtres.

Le chef Willie me raconte comment, au moment où ils ont compris que leur départ était imminent, certains colons ont obligé les gens de Pangi à semer des ronces et des mauvaises herbes dans les plantations afin de les rendre inutilisables.

Ce qui reste, dispersé, désordonné, donne l'impression d'une nature retournée à l'état sauvage. Pourtant, quand on marche vers l'intérieur, quand on gravit la montagne ou qu'on suit les cours d'eau au fond des ravines, c'est la présence des plantes nourricières qui vous frappe. La forêt est sillonnée de chemins étroits, à peine visibles, et au bout de chacun de ces chemins il y a un jardin caché. Dans une clairière, ou accroché comme un balcon au flanc de la colline. Ils sont secrets comme les villages, dissimulés de la côte dans les replis de la montagne. Ce sont les jardins de taros, pour lesquels depuis des millénaires les Mélanésiens ont développé les techniques hydrauliques, goulets, réservoirs, canaux. Les jardins d'ignames sur les pans de terre rouge. Les jardins de palmes, qui fournissent l'huile et le sagou. Les jardins de manioc. Les vergers plantés de manguiers, de goyaviers, d'orangers. Partout, à chaque instant, on découvre sous la futaie, ou dans les fourrés, des bouquets de fleurs, des plantes à parfum, des réserves médicinales.

Ce sont des jardins, non pas à la française, ni à l'anglaise, mais sinueux, mélangés, semés selon un plan qui doit ressembler à de la magie plutôt qu'à un ordre logique. Comme si les mains qui les ont semés avaient suivi le parcours de forces souterraines, de courants spirituels, lieux de naissance, sources, poches minérales, tombes, dont le secret ne peut exister que dans la mémoire des hommes et des femmes de ce lieu.

Willie, malgré sa volonté de participer au monde moderne (téléphone, Internet), me conte une anecdote qui me montre le lien qu'il continue d'entretenir avec les esprits de la terre. Étant malade, et souffrant beaucoup, il avait rêvé d'une plante, une liane sans nom, qui l'attendait dans la forêt. Il était parti à sa recherche et l'avait trouvée à l'endroit qu'il avait vu en rêve, l'avait broyée et avait fabriqué un onguent qui l'avait guéri de son mal. Il parle de cette liane non comme d'une feuille ou d'une médecine, mais comme un don que l'esprit de ses ancêtres lui avait laissé dans la forêt.

Voilà pour l'agriculture à Raga. Cela a-t-il quelque chose à voir avec le fait de planter des cocotiers en lignes régulières et d'échanger leurs fruits contre de l'argent? J'imagine la stupeur des habitants de ces îles quand ils ont constaté l'impudence méthodique de ceux qui venaient s'approprier leurs terres.

Pour les Mélanésiens, les plantes sont des êtres vivants. Elles ont été pareilles aux humains à un moment de leur existence. Elles n'existent pas seulement pour nourrir les hommes et les soigner, elles forment une partie de l'ensemble vivant. C'est pourquoi elles poussent en liberté, mêlées aux herbes et aux broussailles. Lorsque les colons, par esprit de vengeance, ont demandé aux habitants de Pangi de semer ces herbes et ces ronces au milieu des plantations tirées au cordeau, il n'est pas impossible que les Mélanésiens aient compris qu'on leur demandait simplement de remettre les choses dans leur état initial. Après tout, ce n'était que justice.

Dans les hauts du pays Apma, du côté d'Ilamre, j'ai écarté les buissons pour voir apparaître, pareilles à un troupeau paissant dans une clairière, les larges feuilles du taro. Impression de douceur, de paix, de civilisation. Pour les gens d'ici, le taro est femme. L'igname est mâle (bien que le mot soit au feminin dans les dictionnaires de langue française). Sous la terre, le corps allongé de l'igname, teinté de rouge, est un pénis décalotté. L'igname est symbolisé par de longues pierres calcaires, que les hommes transportent avec eux lors de leurs voyages de migration. Ils ressemblent aux pierres phalliques qu'on trouve dans toutes les cultures depuis le paléolithique, dressées vers le ciel, ou enfouies dans l'étui de la terre.

Pour les ignames, les hommes du peuple Sa ont inventé le Gol, un étrange rituel qui a fait parler d'eux dans le monde entier. Une fois l'an, après la récolte, avant l'ensemencement des champs, les hommes des villages construisent une tour en branchages autour d'un grand arbre et affirment leur virilité en plongeant, la tête la première, les bras ouverts en ailes d'oiseau, les chevilles liées par deux lianes souples attachées au sommet de la tour qui arrêtent leur chute au moment où ils vont toucher le sol. La terre ainsi labourée par la poitrine des hommes donnera naissance aux nouvelles racines *.

J'ai marché quelquefois avec Alan Bebé, le fils de Willie, sur la route de Pangi. C'est un homme d'une trentaine d'années, petit, doué d'une force herculéenne. C'est vraisemblablement le Ni-Vanuatu le plus célèbre du monde. Sa photo apparaît sur les sites Internet et sur les dépliants touristiques qui parlent de Pentecôte. Il est humble, il doit savoir tout cela, et tout cela lui est indifférent. Il ne parle pas. Il marche vite, suivi par son fils et sa fille âgés de cinq et sept ans, aussi gais et mutins qu'Alan est sérieux. Il est habité en permanence par l'esprit du Gol, m'explique Willie. Sa chevelure crépue forme comme un plateau au sommet de sa tête. Quand il ne saute pas, Alan travaille dans les champs, il pêche un peu. Il est l'un des hommes les plus mystérieux de la baie Homo.

* La légende, moins machiste, attribue l'invention de ce saut à une jeune femme, poursuivie par les assiduités d'un amant, et qui, pour lui échapper, eut recours à ce stratagème. Elle s'attacha par les chevilles à des lianes et sauta dans le vide. L'homme, la voyant sauve, voulut faire de même, sans s'attacher, et se tua. C'est en souvenir de cette ruse féminine que les hommes ont créé le saut du Gol.

La plante qui a échappé à l'emprise coloniale dans les îles, en particulier à Pentecôte, c'est le *kava* (de son nom scientifique, *Piper methysticum*). C'est la plante liée au peuple mélanésien, à son histoire, à ses rêves. C'est la plante qui donne la paix.

Aujourd'hui, les sacs de kava broyé attendent sur les plages, à Melsissi, à Pangi. Le cargo local viendra ramasser les sacs pour les emporter à Port-Vila, d'où ils seront envoyés dans des conteneurs frigorifiques vers tous les pays où l'on consomme le breuvage, en Océanie, mais aussi en Australie, aux États-Unis, et même en Allemagne.

À Port-Vila, dans le centre, près de l'hôtel chinois, les bars à kava sont des salles tout en longueur, réfrigérées par d'antiques climatiseurs qui ressemblent à des turbo-prop, et où règne une obscurité de grotte, à peine trouée par la lueur verte du juke-box et par les loupiotes allumées sur le comptoir. On pourrait se croire dans un bar à matelots du temps des bases américaines – les taxi-girls en moins. Le kava, paraît-il, a besoin de cette pénombre. Peut-être en souvenir du couvert de la forêt humide. Ou à cause de l'esprit qu'il contient – mais quelle plante ne contient pas d'esprit ?

L'après-midi, il n'y a pas grand monde. Pas de femmes – elles sont traditionnellement exclues du rite du kava, mais il semble que la tradition ne se maintienne plus que dans les bars de Port-Vila! L'affluence commence au crépuscule. Le kava est un breuvage pour la nuit. Il engourdit les muqueuses et ralentit le corps, mais pas l'esprit. Il fait flotter. Il instille de la philosophie. Sa douceur amère, au goût terreux, recouvre le monde extérieur d'un halo à peine dérisoire (je parle pour moi). Le kava a sans doute éteint nombre de guerres, voire de simples conflits domestiques. Le monde moderne en aurait bien besoin.

Le kava est pourtant lié à des instants cruels de l'histoire de la conquête du Pacifique. Il a sans doute été utilisé pour éteindre toute velléité de résistance chez ceux que les *blackbirders* avaient kidnappés et mis au travail forcé sur les plantations.

À Ouvéa, le kava a été bu par les insurgés au moment de l'assaut de la grotte fatale. Au cours des veillées aussi, les nuits qui ont précédé le massacre des otages. Il a été bu lors du deuil général, quand les Kanaks ont pu enfin enterrer les restes de ceux que l'armée française avait fusillés et emportés dans des sacs.

Le kava n'est pas seulement une boisson pour les Ni-Vanuatu. Comme la coca pour les Indiens des Andes, c'est la plante qui contient l'esprit du lieu, c'est leur langue, leur mémoire commune. C'est sans doute la raison pour laquelle les gouvernements coloniaux l'ont interdite.

L'origine du kava est un mystère. La racine est récoltée dans tout le Pacifique, de la Polynésie aux îles de la Sonde, et de la poussière micronésienne jusqu'à la Nouvelle-Zélande. Les premiers voyageurs occidentaux – Cook, notamment – en parlent. Pour certains (Layard), le kava est originaire d'Indonésie, voire de Malaisie, et ils l'apparentent au bétel. Vincent Lebot (*Kava, the Pacific Drug*) y voit une plante endémique des Nouvelles-Hébrides, et plus précisément de Pentecôte. Il ne doit pas se tromper puisque, aujourd'hui encore, tous les Mélanésiens s'accordent pour dire que c'est la plante de Raga qui est la meilleure.

La recette pour produire le breuvage est la même partout. Lorsque la plante a atteint l'âge de cinq ans on déterre sa racine et on la broie pour en extraire le suc. À Ambae, à Malekulo, la racine est broyée dans un mortier en pierre. À Ambrym et à Raga on l'écrase dans le creux de la main en se servant d'un pilon en corail.

La légende attribue sa découverte à une femme. À Tonga, on raconte que le premier plant de kava poussa sur le crâne d'une fille morte de la lèpre, et qu'une femme s'aperçut qu'une souris venait chaque soir ronger la racine de la plante.

À Raga, la légende est plus étonnante. Autrefois au sud de l'île vivaient un ogre et une ogresse qui dévoraient les enfants. Un jeune garçon fut capturé avec ses frères et enfermé dans la maison de l'ogre. Pour s'échapper, le garçon inventa un stratagème. Il raconta à l'ogre qu'il était un esprit et que, pour en avoir la preuve, il suffisait de mettre le feu à la maison et qu'il ne serait pas brûlé. L'ogre mit le feu, et le garçon se cacha avec ses frères dans un trou qu'il avait creusé dans le sol. L'ogre, les voyant indemnes, voulut faire de même et périt brûlé dans sa maison. Lorsque l'ogresse constata la mort de son mari, elle essaya d'attraper les enfants, mais le jeune garçon se glissa entre ses jambes et, saisissant une pierre brûlante, l'enfonça dans le vagin de l'ogresse qui mourut aussitôt. De cette pierre naquit le premier plant de kava *.

* *In* Vincent Lebot, Mark Merlin, Lamont Lindstrom, *Kava, the Pacific Drug*, New Haven - Londres, Yale University Press, 1992.

Dieu, dieux, ombres

À Raga, on est pénétré à chaque instant par le sentiment diffus, inexplicable, de la divinité.

Il y a d'autres endroits dans le monde où ce sentiment peut surgir. Dans la lande, en Bretagne, ou dans les ravins au cœur de la forêt vosgienne. En Islande, où l'on est si près des bouches à feu de la terre, ou encore dans le désert minéral balayé par le vent. J'imagine que la banquise de l'Antarctique peut donner ce sentiment.

À Raga, cela vient de la conjonction d'une nature violente et de la douceur des hommes qui l'habitent. Il y a quelque chose de dénudé dans la pierre noire, la brutalité de la falaise, et en même temps la force des plantes, l'eau en suspens dans l'atmosphère. En résumé, c'est volcanique.

Il n'y a pas de volcans à proprement parler sur Raga. Une légende racontée par Willie Bebé explique pourquoi les volcans sont présents à Ambrym, et absents de Raga. Il y a très longtemps, deux vieillards irascibles habitaient chacun d'un côté du détroit. Un jour, le vieillard de Raga lança un tison enflammé à son rival : « Tiens, ainsi tu n'auras plus jamais froid. » L'autre, en réponse, lâcha une fumée vivante sur Raga : « Tiens, pour te tenir compagnie la nuit ! » Depuis ce temps, les volcans brûlent à Ambrym, et les moustiques harcèlent les habitants de Raga.

L'esprit divin imprègne ces îles. L'esprit, et non pas la religion. Sans doute faudrait-il dire ce que Vincent Boulékone dit de la culture en général, et des musées en particulier. Qu'à Raga, c'est l'île tout entière qui est un musée. Et l'île tout entière qui est un temple.

Avec Charlotte Wèi, je marche le long du rivage. La plage de galets est sans fin, et semble une route reliée aux montagnes bleutées d'Ambrym.
« Regarde », dit-elle. « Ici, c'est la première église qu'on a construite à Raga. » Ce qu'elle me montre, c'est un grand tronc d'arbre renversé sur la plage, noirci par le soleil, devenu quasi pierre.
Charlotte s'approche du tronc, elle se penche et se love sous l'arbre, disparaît dans son ombre. Elle revient à la lumière du soleil, son visage est éclairé par une sorte de certitude.

Elle me parle de son ancêtre Stéphane Tabiri, comment il a apporté la religion du Christ à Pentecôte.

« Quand Tabiri était enfant, il habitait dans un village, ici, au bord de la mer. Le village était dirigé par un homme très méchant, qui avait tué beaucoup de monde. Un jour, une petite fille nommée Matantaré, qui était la sœur de Tabiri, en jouant a mis le feu à une des maisons du chef, et la maison a brûlé entièrement. Le chef est allé voir les parents de la fille, et il a dit : "Comme punition, je veux que vous m'apportiez dix cochons." Mais les parents de Matantaré étaient pauvres, ils n'ont pu réunir que neuf cochons. Alors le chef s'est emparé de la petite fille, il l'a attachée à un arbre, et il a dit : "Puisque vous ne pouvez pas payer le prix, elle sera le dixième cochon." Et malgré les pleurs des parents, il a fait égorger l'enfant et a mis le feu à l'arbre pour la brûler. Lorsque Tabiri a vu cela, il s'est échappé et a dit qu'il reviendrait un jour pour venger sa sœur. Il s'est embarqué sur un bateau pour le Kwinsala, et là-bas, il a reçu l'éducation chrétienne. Plus tard, il est revenu ici même, sur un bateau, pour apporter la religion, afin que plus jamais ne soient brûlés les enfants. Et c'est sur cet arbre qu'il a parlé aux gens du peuple pour la première fois de la religion des chrétiens. »

Non loin de là, dans la forêt au pied de la falaise, Charlotte me montre une dalle de ciment dans laquelle est fixé un coquillage rose.

« Quand Tabiri est revenu, le dieu de la mer a voulu l'empêcher de débarquer, il a pris la forme d'un coquillage et a envoyé des vagues pour couler le navire. Mais Tabiri a pris son harpon, il a tué l'animal et l'a mangé. Et en souvenir, il a placé la coquille vide sur un rocher. Plus tard, on a construit cette dalle de ciment et on a placé le coquillage dessus. »

Le coquillage est une conque de belle taille, usée par le temps, elle aussi prête à se transformer en pierre.

Au-dessous de la dalle, est écrit :

« Stéphane Tabiri 9 may 1872 Vanuatu »

Charlotte retourne devant l'unique monument de l'aube du christianisme à Raga. Je ne sais pourquoi, cet arbre renversé sur la plage de galets m'émeut plus que n'importe quelle église. C'est comme si l'océan avait déposé sur la plage, après un long voyage sur les vagues, cette chose, ce signe, cette épave, qui semble un pont joignant les temps et les croyances.

Plus tard, Charlotte me montre encore quelques secrets : dans une grotte au bord de la mer, cachée par les broussailles, une peinture ancienne gravée sur la paroi. Un simple dessin linéaire, blanc et jaune, qui ressemble aux *ruerue* que les gens d'Ambrym et de Raga tracent avec un bâton dans le sable, sans lever la main. Peinture de ses ancêtres ? Trace divine ? Charlotte n'est pas très sûre. À Vanuatu, les grottes sont les lieux d'émergence et de mort. Ici tout se superpose, l'émerveillement et le naturel.

Un peu plus loin, elle quitte la route et emprunte un sentier jusqu'à la falaise. Le mur de basalte est percé en de nombreux endroits par des cheminées, vestiges du magma incandescent.

«Viens, tu vas savoir si tu reviendras un jour ici.»

Le test consiste à lancer une pierre par l'un de ces conduits. «Si le caillou ne retombe pas, ton vœu est exaucé.» Je tente plusieurs fois, et chaque fois la pierre retombe. Charlotte essaie à son tour. La première fois, le caillou rebondit sur les parois de la cheminée et revient. Elle fait une deuxième tentative. Elle se baisse jusqu'à terre, le buste à demi entré dans la cheminée. Je vois les muscles de son dos et de ses bras tendus comme des cordes. D'un seul mouvement précis, elle lance la pierre. Le silence qui suit prouve que le caillou a traversé la falaise dans toute sa hauteur et est ressorti au sommet.

Elle me regarde avec une expression de satisfaction presque enfantine sur le visage. Je ne peux m'empêcher de penser que ce doit être cela, le droit de vivre sur cette île. Être capable de survivre en abattant un oiseau ou une roussette en plein vol, d'un seul jet de pierre. Tout le reste n'est que pure digression.

Au Vanuatu, les mythes affleurent. Ils ne sont pas séparés du réel. À chaque instant, à chaque endroit, la parole peut les faire jaillir, comme si la force du commencement vibrait encore, dans les pierres, les arbres, dans l'eau des torrents.

Cette joyeuse magie, c'est grâce à Charlotte que je la perçois. Par son optimisme, cette façon qu'elle a de rire de tout, y compris de ses propres malheurs. Par sa générosité, sa bonne volonté indestructible. Les ethnologues, les voyageurs occasionnels comme moi, ont parfois décrit la société mélanésienne comme l'une des plus machistes du monde. Ils ont peut-être raison. Pourtant, aujourd'hui, sur ce rivage, en compagnie de Charlotte, je ne peux m'empêcher de penser à la création de la femme, telle qu'elle fut naguère racontée à Jean Guiart, dans l'île d'Espiritu Santo.

Au début, l'homme fut créé par Dieu avec un peu de boue. Il commença par les pieds et termina par la fontanelle. L'homme vivait dans un grand jardin au bord de la mer. Un jour, au cours d'une chasse, une roussette se mit à voler auprès de l'homme, et il s'apprêta à la flécher. Mais la roussette se posa sur sa flèche. « Qui es-tu ? » demanda l'homme. « Je suis Taotae, je suis Dieu », dit la roussette. Elle prit alors la forme de la femme, et l'homme s'unit à elle. Ainsi commença la lignée des êtres humains, dont nous descendons tous aujourd'hui.

À Raga, l'on est toujours près du moment de la création.

Il y a, malgré le drame de la nature et l'histoire troublée de l'époque coloniale, quelque chose de la joie originelle qui fait penser à Nietzsche, ou à Tagore.

Du cocasse, du drolatique dans la genèse.

La chute, le péché originel, on sent bien que ce n'est pas vraiment l'affaire des Mélanésiens. Ils sont à la fois plus fantaisistes et plus réalistes. C'est sans doute pourquoi les contes sont restés si présents, malgré la pression des Églises et l'arrivée de l'ère des médias universels.

Voyons ce même conte de la genèse, raconté jadis dans la langue sa au père Élie Tattevin[*] :

Au commencement, seule existait la terre avec sa végétation. Il n'y avait qu'un seul cocotier dans un lieu nommé Rebrion. Cet arbre est mort aujourd'hui. Ce cocotier fleurit et donna naissance à un énorme fruit qui contenait l'esprit de Barkulkul. Puis le fruit éclata et donna naissance à six hommes. Le premier fut Barkulkul. Ces hommes tombèrent sur la terre sur un lit de palmes. Une grande noix de coco leur donna son lait, et ce fut leur premier lait.

[*] Élie Tattevin (1883-1949), missionnaire mariste, né en Bretagne à Pornic. Après des études au séminaire de Nantes, il est envoyé à la mission des Nouvelles-Hébrides en 1909, nommé prêtre à Pentecôte (à Melsissi, puis à Baie-Barrier) puis à Aoba (Ambae). En 1947 il se retire à Montmartre (Port-Vila) où il meurt en 1949. On lui doit, outre des glossaires, un considérable travail sur les mythes du sud de Pentecôte : *À l'ombre des ignames* (1915), « Sur les bords de la mer sauvage » (1926), « Mythes et légendes du sud de l'île Pentecôte ».

Quand ils eurent grandi, les six frères vivaient dans une maison des hommes. Un jour Barkulkul dit : « Nous mourrons tous et personne ne nous survivra. Nous devons inventer un être d'un autre genre pour que notre race survive. » Il dit : « Allons cueillir des châtaignes. » Ils allèrent dans la forêt et revinrent avec une provision de châtaignes. Barkulkul dit : « Grillons ces châtaignes sur le feu. » Ensuite il dit : « Pelons ces châtaignes. » Ils les pelèrent. Il dit : « Mangeons ces châtaignes. » Ils les mangèrent. Alors Barkulkul prit une châtaigne et il la jeta sur son cinquième frère et la châtaigne se colla à son pénis. Cet homme se mit à pleurer, il essaya d'arracher la châtaigne, mais elle était bien attachée et, quand il l'enleva, il arracha ses testicules. Ainsi il devint une femme.

Ses frères la repoussèrent et lui dirent : « Va-t'en dans ta maison. » Et elle y alla. Ses frères lui dirent aussi : « Prends une feuille de bananier. » Et elle détacha du tronc du bananier une feuille et la cousit avec une aiguille de sagoutier et elle fit une jupe qu'elle attacha autour de ses hanches. La femme s'appela alors Sermorp (châtaigne brisée).

Les hommes décidèrent de manger. Ils firent un feu dans la maison des hommes. Le premier homme alla voir la femme et lui dit qu'ils voulaient manger. « C'est bien, frère », dit Sermorp. « Va chercher du bois. » L'homme alla chercher du bois, et les autres lui demandèrent : « Que t'a dit cette femme ? » L'homme répondit : « Elle m'a appelé son frère. »

Alors Barkulkul envoya un deuxième homme : « Va chercher chez elle des coquilles pour racler la nourriture. » Il alla chez elle, et Sermorp lui dit : « C'est bien, mon père. Prends des coquilles. » Les autres lui demandèrent : « Que t'a dit cette femme ? » Il répondit : « Elle m'a appelé son père. »

Barkulkul envoya le troisième. « Va chercher chez elle du chou de l'île. » Quand il arriva chez elle, Sermorp lui dit : « Que veux-tu, mon cousin ? » L'homme rapporta le chou et il dit : « J'y suis allé, et elle m'a appelé son cousin. »

Le quatrième homme se rendit chez la femme pour lui demander du bambou pour cuire les aliments. « Grand-père, prends-le », dit Sermorp. Les autres lui posèrent la même question et il dit : « Elle m'a appelé son grand-père. »

Quand le chou fut cuit, ils envoyèrent le cinquième homme chez la femme pour demander de l'eau. Sermorp lui dit : « Prends de l'eau, mon fils. » Ils arrosèrent le chou avec l'eau salée, et ils demandèrent : « Que t'a dit cette femme ? » Il répondit : « Elle m'a appelé son fils. »

Quand ils eurent fini le repas, Barkulkul se rendit en dernier chez la femme et lui demanda de l'eau pour se laver. Alors Sermorp s'adressa à Barkulkul et elle lui dit : « Prends de l'eau, mon bien-aimé, mon esprit (loa). » Barkulkul lui sourit, il prit l'eau, et quand il revint à la maison des hommes, ils lui dirent : « Tu es son bien-aimé et tu dois l'épouser. »

La version finale de ce conte rapportée par Margaret Jolly[*] est plus explicite (on peut imaginer qu'elle ait été censurée par le père Tattevin!):

La nuit vint et les frères étaient réunis dans la maison des hommes. Le sixième frère (Barkulkul) rejoignit la femme dans sa maison et ils couchèrent ensemble. Les hommes écoutaient et ils entendaient l'homme qui montait sur elle et la pénétrait, mais la femme essayait de l'en empêcher. Quand il fit l'amour elle pleura en disant : « Ô ma mère, je vais mourir ! » Les autres hommes lui crièrent de loin : « Arrête de pleurer ! » Et elle cessa de pleurer. Puis le couple s'endormit et elle était devenue sa femme.

Elle tomba enceinte et elle donna naissance à une fille. Le couple l'éleva et quand elle fut grande ils la marièrent à un homme et ils vécurent à Rebrion. Et cette fille donna naissance à une autre fille. Et cette fille fut mariée à son tour et elle donna naissance à des garçons et des filles. Et ainsi ils continuèrent et peuplèrent tout Rebrion. Et aujourd'hui, quand une femme se marie avec un homme, ils font l'amour et la femme ne pleure pas. Ce qui s'est passé d'abord à Rebrion ne se passe plus, et ainsi jusqu'à aujourd'hui.

[*] Margaret Jolly, « Spouses and siblings in Sa stories », *Australian Journal of Anthropology*, août 2003.

Dans les mythes mélanésiens, le cochon a une place particulière. La légende de sa création est aussi burlesque. Elle est connue de tous à Raga.

Quand nous arrivons à Ilamre, Charlotte me montre les frontières de son monde d'enfance. Le village est au plus haut du plateau. D'un côté, c'est le Pacifique Ouest, de l'autre le levant, là où habitent les morts.

Charlotte montre les champs de taro, les plantes à parfum, le kava. Comme nous redescendons, elle désigne un enclos de troncs dans la forêt. «C'est ici que vivent les cochons.» L'enclos sert moins à retenir les animaux qu'à les empêcher de faire des dégâts dans les champs. J'entrevois quelques formes sombres, j'entends un bruit de branches brisées, un galop de bêtes sauvages. Cela ne ressemble pas du tout à un élevage de porcs, tel qu'il en existe en Bretagne ou au Mexique.

Les gens de Raga ont une relation étrange avec les cochons. Leurs mâchoires ornent toutes les maisons, accrochées aux piliers latéraux. Dans le musée privé du père Rodet, à Port-Vila, j'ai vu une impressionnante collection de mâchoires et de dents de porcs. Seuls les mâles et les androgynes subissent ce que Jean Guiart nomme, avec raison, le martyre. Quand ils sont petits, leurs canines supérieures sont brisées à coups de pierre, afin de permettre aux crocs de la mâchoire inférieure de pousser librement. Après avoir transpercé la mâchoire supérieure, les dents au long des années s'enroulent en spires et font plusieurs tours. Leurs mâchoires ainsi clouées ne peuvent plus s'ouvrir, et les porcs doivent être nourris de bouillies par leurs propriétaires. Quand ils sont grands, et que leurs canines ont atteint une taille respectable, ils sont sacrifiés (assommés, ou parfois fléchés) et dépecés, et leurs mâchoires ornent la maison de leurs maîtres – les dents servent aussi parfois (de moins en moins aujourd'hui) au paiement à la famille de l'épouse lors d'un mariage arrangé.

Les ethnologues se sont penchés avec intérêt sur le rôle des cochons dans le système social des Mélanésiens. Ils ont étudié attentivement les prises de grade, les cérémonies, les échanges. Quelquefois ils ont extrapolé, en concluant que le sacrifice des cochons a pu être une alternative au sacrifice humain – idée sans doute un peu simpliste.

L'un des traits les plus étranges dans cette proximité avec les cochons est l'androgynie. Il semble – au moins chez les porcs du Vanuatu – que la fréquence de la naissance d'individus bisexués chez les cochons soit assez grande pour être une part de la culture. Alors que les femelles sont gardées intactes en vue de la reproduction, les mâles et les androgynes sont mutilés pour obtenir les dents en spirale, et sacrifiés. Dans la collection du père Rodet, les dents des mâles sont deux fois plus longues que celles des androgynes, et sont donc d'une plus grande valeur rituelle.

Aujourd'hui, dans une société où règnent le papier monnaie et l'argent virtuel, les dents de cochon ont gardé pour les Mélanésiens une valeur de mémoire, d'investissement rêvé, un peu à la manière des louis d'or de nos grands-mères. Les porcs ont gardé leur prix, et pas seulement à cause de leur viande. Ils sont à la fois les voisins et les symboles des habitants des îles. Au cours des fêtes, ils sont mis à mort dans la liesse, un peu à la manière des matanzas d'Espagne ou comme en Bretagne. Dans les maisons, les marteaux coudés qui servent à les tuer sont toujours en bonne place. Dans les mythes, les porcs sont liés aux hommes, ils partagent avec eux la possession de la terre.

Dans le conte rapporté par Margaret Jolly*, les porcs sont nés d'un homme, suite à un accident.

Un homme nommé Wahgere avait grimpé sur un arbre et les épines de l'écorce avaient blessé ses testicules qui s'étaient mis à enfler. Il se coucha alors, comme pour un accouchement, et de ses testicules sortirent tous les porcs de la création, d'abord les porcs à oreilles tombantes, puis un rouge, puis un blanc, puis un noir, et le dernier fut un gris. Certains furent capturés par les hommes, les autres s'échappèrent et s'en-

* Margaret Jolly, *Women of the Place: kastom, colonialism, and gender in Vanuatu*, Philadelphie, Harwood Academic Publishers, 1994, p. 69.

fuirent dans les îles voisines. Jusqu'à ce jour-là, les hommes n'avaient rien eu d'autre à manger que les crabes de terre. Alors Wahgere leur dit : « Tuez tous les crabes. Nous avons des porcs à présent. »

Ces contes peuvent faire sourire par leur apparente naïveté. À tout prendre, ces récits sont-ils plus enfantins que l'histoire de la naissance d'Ève, que l'arche de Noé ou le Buisson ardent ?

Ce qui émane, à Raga, c'est l'impression du mystère à chaque pas. Dans les ravins, dans les grottes au flanc des montagnes, dans l'amas de feuilles, de branches et de lianes qui ferment les chemins. Dans les multipliants au bord de la mer, leurs troncs creusés et leurs branches qui deviennent des racines.

Peut-être quelque chose de la peur ancestrale, qui inspire toutes les légendes de la terre. Cette peur était aussi le fondement d'une ancienne sagesse.

La violence des envahisseurs venus d'Europe, d'Amérique ou d'Australie a obligé ce peuple très doux à entrer d'un seul bond dans l'ère industrielle et touristique.

Aujourd'hui encore il est des voyageurs qui sont attirés par le Vanuatu – par la Papouasie, Bornéo ou l'Amazonie – à l'idée de voir des gens nus, ou sauvages.

Qui imaginent ces mondes tels que les ont décrits Malinowski ou Jean Guiart, un enfer vert qu'ils parcouraient bottés et chapeautés, armés de carabines et précédés de leurs cohortes de porteurs.

Les mythes anciens, les histoires modernes, se heurtent, s'interpénètrent, formant le tuf de la nouvelle culture mélanésienne, l'âme du continent invisible. Les spécialistes aimaient parler naguère d'« acculturation » – avec ce que ce terme recelait de péjoratif. Plus récemment, ils ont eu recours au terme de « métissage », ou de « créolisation » – signifiant par là la domination du pouvoir « blanc » sur toutes les formes d'expression et de langage.

Pourtant, à Vanuatu, le monde ancien est toujours présent. Il est une rumeur, un chant qui monte des ravins, entoure les grands arbres, se mêle au murmure des gouttes du serein qui tombent chaque nuit avant l'aube des franges de toits de feuilles, et des plaques de zinc rouillées.

La modernité, c'est Willie Orion Bebé qui, le soir venu, met en marche sa dynamo à moteur et repasse inlassablement devant un public de jeunes et de vieux la cassette vidéo de *Rings of Fire*, un docu démodé sur la chaîne de volcans du Pacifique Sud – comme si, dans leur mémoire collective, ces images réveillaient le souvenir de la gigantesque éruption du mont Witori, en Nouvelle-Bretagne, il y a environ dix mille ans, qui fut peut-être une des causes de la diaspora des Mélanésiens vers l'est.

Dans sa maison, en haut du village de Melsissi, Charlotte Wèi est assise en tailleur, à sa place préférée de conteuse, sur des coussins près de la porte. Elle a allumé la lampe à kérosène qui affole les papillons de nuit et les fourmis volantes. Ses filles sont à côté d'elle, la plus jeune blottie dans son giron, les deux autres, adolescentes, assises sur la plate-forme qui sert de balcon devant la porte. Elle raconte des histoires, à mi-chemin entre la fantaisie et le réel. Elle parle de la vie de tous les jours.

Charlotte se soucie de ses filles, surtout de l'aînée. Nous parlons de sujets que j'imagine difficiles à aborder au Vanuatu, même si la culture mélanésienne est loin d'être bégueule. Charlotte m'interroge à propos du sida, des moyens de protéger ses enfants de la maladie, des risques que les filles d'aujourd'hui encourent à faire l'amour avec le premier garçon venu sans se protéger. Elle parle de l'hôpital de Port-Vila, où de nombreux hommes et femmes sont en train de mourir. Apparemment, il n'existe pas d'information à ce sujet dans les écoles, ou bien l'on a oublié d'en parler chez les sœurs de Melsissi. On ne trouve pas de capotes à Pentecôte, sauf peut-être au dispensaire, mais aucune fille n'aura le courage d'aller en chercher.

Et puis elle me raconte une histoire terrible :

« J'ai connu une femme d'ici, son mari l'avait emmenée travailler à Espiritu Santo, et elle a travaillé elle aussi comme femme de ménage au dispensaire de

Luganville. Là, elle a rencontré un homme et elle a fait l'amour avec lui sans que son mari le sache. Ensuite, elle a pris le bateau pour retourner ici voir ses enfants, et quand il a su qu'elle partait, l'homme avec qui elle avait fait l'amour lui a donné une lettre en lui disant de ne pas l'ouvrir avant d'être arrivée chez elle. La nuit, sur le bateau, elle n'arrivait pas à dormir, elle regardait l'enveloppe et elle avait peur de lire la lettre. Et quand elle l'a ouverte, elle a lu ces mots : "Bienvenue au club du sida." Quand elle a compris, elle a pleuré toute la nuit sur le bateau, parce que cet homme l'avait condamnée à mourir. »

Comme je lui demandai ce qui s'était passé ensuite, Charlotte a continué :

« La femme n'osait pas avouer à son mari, mais comme il voyait qu'elle pleurait tout le temps, il lui a posé des questions, et elle a fini par tout lui raconter. Alors son mari l'a chassée de chez lui, en lui interdisant de revenir voir ses enfants. La femme est allée vivre avec son frère à Port-Vila, mais ils n'avaient pas d'argent pour acheter les médicaments, et c'est lui qui s'est occupé d'elle jusqu'à sa mort. »

Même si elle n'est pas réelle – j'ai lu le même récit écrit à Maurice –, cette histoire parle mieux que n'importe quelle enquête de la vague qui touche aujourd'hui tous les rivages du monde, même les archipels les plus lointains. La mondialisation, c'est sans doute avant tout celle des épidémies. Et même si elle met en scène un salaud criminel, son acte ne peut pas être plus condamnable que celui des grandes firmes de produits pharmaceutiques qui refusent de distribuer à moindre coût les médicaments qui retardent l'évolution du sida, et condamnent à mort les malades des pays les plus pauvres. Ou que celui des autorités locales, s'appuyant sur des interdits d'une autre époque, qui empêchent l'information et la prophylaxie auprès de la tranche d'âge qui court le plus de risques.

On pourrait s'interroger sans fin. Ce qui est certain, c'est qu'à Raga, comme dans la plupart des îles du Pacifique, l'on est bien loin aujourd'hui du paradis quelque peu imaginaire inventé par Malinowski, où les Trobriandais vivaient une sorte d'idylle des sens en toute liberté – ce fantasme qui lui permettait sans doute de compenser ses propres échecs dans la vie sentimentale, quand il décrivait dans son journal « le pays de *kaytalugi*, une île au bout des mers, où les femmes sont belles et font l'amour ».

« Nous ne sommes pas un siècle à paradis », répond Henri Michaux (*Misérable Miracle*).

À présent, le moindre arpent de terre jusqu'au cœur de la selve amazonienne, jusqu'aux canyons gelés de l'Antarctique, a été examiné, photographié, analysé par l'œil froid du satellite. S'il reste un secret, c'est à l'intérieur de l'âme qu'il se trouve, dans la longue suite de désirs, de légendes, de masques et de chants qui se mêle au temps et resurgit et court sur la peau des peuples à la manière des épars en été.

L'art de la résistance

«Îles de cendres et de corail», écrivit jadis Aubert de La Rüe, à propos du continent pacifique. Comme si le commencement et la fin se touchaient dans ce lieu. Pour qui vient des socles, ces énormes masses de granite et de calcaire où se sont déposés pendant des millions d'années les alluvions des rivières, les îles volcaniques ont quelque chose de neuf, de précaire, d'imaginatif, qui n'a pas pu ne pas marquer les peuples qui y ont grandi.

Une poussière en suspens dans l'air, une odeur de brûlé qui traîne, ou bien le silence qui suit une forte déflagration. Le sol qui tremble tout le temps, une peau fluide. La mer qui peut tout engloutir à chaque instant. Les oiseaux marins comme seuls vrais habitants. Dans les profondeurs, des poissons étranges, monstrueux, lamproies, poissons-pierres, poissons-scorpions. Parfois un poisson-lune qui jaillit de la mer et vient mourir sur la plage, sans raison, comme si une folie l'avait poursuivi.

Au XVᵉ siècle de notre ère, au temps du roi Mata, un violent séisme a englouti complètement dans l'océan l'île de Kuwae. La légende raconte que le cataclysme fut causé par un inceste (ce fut aussi la cause du Déluge). La conscience que l'on a d'un pays, d'une terre natale, ne peut être qu'étrange quand on est conscient qu'il en manque une partie. C'est comme le rêve d'un amputé. Il y a quelque chose d'impossible, d'inachevé. La pirogue glisse sur l'océan, entre Éfaté et Épi, elle passe au-dessus d'un monde englouti.

Alors tout le reste doit être nécessairement dérisoire, frappé d'irréalité.

Il faut apprendre à résister quand on est né au bord de ce gouffre.

C'est cette résistance qui frappe le voyageur étranger, d'où qu'il vienne, d'Amérique ou d'Europe.

Ces statues debout sur le rivage, qui attendent.

Des statues, des hommes, des femmes?

Des dieux.

Sculptés dans le bois noir de la racine de fougère arborescente, debout sur le rivage, ou assemblés en demi-cercle dans une clairière, non loin des villages.

Des loas, des esprits.

L'effigie des défunts, emportés dans leurs grottes, à l'est de l'île, ou sous la mer. Pour revenir un jour, peut-être, qui sait?

Des êtres surnaturels, entre l'homme et l'animal,

hauts de plus de deux mètres, leurs yeux pareils à des nautiles, profils aigus, nez droits aux narines ouvertes sur les côtés, portant aux commissures des lèvres les spires des dents de cochon, visages creusés dans la veine du bois, ceints d'un liseré qui fait saillir leurs faces, coiffés d'une crête de saurien.

Leurs corps sont fendus du haut en bas, par une longue blessure qui montre l'intérieur rouge du tronc, pour laisser échapper leur voix.

Slit gongs.

Coups durs et sourds qui ont résonné pendant des siècles, d'une île à l'autre, accompagnés par le bruit mou des pieds nus sur la terre.

Voix sorties de la forêt, de la profondeur de la terre. Tambours souterrains, voix des défunts, voix des anciens, qui reliaient les îles.

Ambae, Ambrym, Épi, Éfaté, Raga, Tanna, Tongoa, Anatom.

Voix qui recousaient la déchirure du temps, et reliaient ces îles aux terres lointaines, à l'Australie, aux Célèbes, aux Moluques, à la Malaisie, à Madagascar, à Andaman, à Taïwan, à Amami Oshima.

Coups sombres qui tissaient la toile du ciel nocturne, qui écartaient les vagues et traçaient des routes sur le fond rouillé de l'océan.

Pendant des siècles, ces êtres ont dansé, ont appelé.

Maintenant silencieux.

En exil dans les musées, quai Branly à Paris, au British Museum à Londres, au musée Léopold-II à

Bruxelles, à Rome, à Madrid, à Berlin, à Washington, dans tous les bouts du monde.

Ils ne parleront plus.

Leur bois noir, au ventre couleur de feu, se consume lentement dans quelques jardins poussiéreux, à Port-Vila, à côté d'une pirogue de haute mer et de masques en fibres.

Géants d'Ambrym et de Raga, pareils aux géants de Rapa Nui, comme si de la Pentecôte à Pâques il n'y avait plus qu'un seul chant mélancolique.

Debout, encore, jusqu'à l'effritement, jusqu'à l'achèvement. Chaque nom d'ancêtre crié dans la tempête, comme au temps où les hommes et les femmes avaient pris pied sur ces rivages noirs, pour y recommencer leur vie.

Les années ont passé, déjà la grande pirogue du voyage a pourri sur la plage de Melsissi. Les enfants s'en servent pour jouer, ils se mettent à cheval sur la quille comme s'ils chevauchaient un requin-baleine. Ils s'appellent Matanwul, Matanulun, Tabisohak, Tabibogon, Mabonwihil, Bouléourou, Boulékone, Boulébega.

Tabisum, le fils de Matansuè, est un jeune homme mince et fort, à la peau couleur de bois noir. Il fait la fierté de sa famille. Il a été admis depuis peu dans la maison des hommes, sur les hauts de Melsissi, sur la place d'où on peut voir l'horizon. Chaque soir il se rend sous le grand banian pour broyer la racine et boire le jus de kava mêlé à l'eau de source.

Toutes les collines alentour ont été défrichées et plantées d'ignames, de patates douces et de choux, et dans les clairières de la forêt les feuilles de taro font des troupeaux serrés. Tabiri, le père de Tabisum, a proclamé son droit sur toute la terre alentour, du promontoire jusqu'à la rivière, et Tabitan règne sur la terre au sud de la rivière, jusqu'à la grande cascade. Il n'y a pas eu de guerre. Le peuple Apma a tracé ses frontières avec les gens de Raga, au nord, et avec ceux du pays Sa, au sud. Ils ont simplement déposé des brassées de palmes de cycas sur les chemins, pour montrer leur droit.

La vieille Matansesé est morte, elle a été la première à être enterrée sur l'île nouvelle. Son âme est allée rejoindre celles des ancêtres de l'autre côté des montagnes, dans les grottes au bord de la mer.

Tabisum a acheté son premier grade avec les dents d'un cochon, des ignames et de la pâte de taro. Ce jour-là, la tempête a soufflé sur l'île, le vent courbait les arbres en haut de la montagne, et Tabisum est monté seul jusque dans les nuages, entièrement nu comme pour une seconde naissance, et dans le vent et la pluie il a crié le nom de son ancêtre, pour que ce nom devienne le sien et résonne jusqu'au fond des grottes et dans le creux des ravins.

Un jour qu'il va chercher la racine du kava dans la forêt, il aperçoit sur le chemin, de l'autre côté de la barrière des cycas, une jeune fille arrêtée. Elle est très jeune, elle est mince et souple, avec des seins à peine formés, et un joli visage rond comme la lune. Sa peau est d'un brun très clair, ses cheveux sont blanchis à la chaux de corail. Tabisum la regarde, et son cœur bat plus fort dans sa poitrine. Il s'approche d'elle et lui parle doucement. Elle est de l'autre côté du chemin, dans le pays étranger. Elle reste immobile, le corps à demi tourné de côté comme si elle allait s'enfuir. Peut-être qu'elle s'est égarée en allant à la recherche de baies sauvages. Son filet est attaché autour de son front, et déborde de plantes et de fleurs. Peut-être qu'elle est venue là par curiosité, pour rencontrer Tabisum. Elle a l'air un peu effrayée, et pourtant elle reste immobile tandis que Tabisum s'approche d'elle et lui parle. Il lui demande son nom dans sa langue, mais elle ne comprend pas, elle est du pays du Nord. La jeune fille l'écoute, elle tourne son visage vers Tabisum, et elle le regarde de côté, d'un long regard de biais qui trouble Tabisum. Sa bouche sourit. Au-dessus de ses yeux, ses sourcils font deux arcs parfaits. Dans les yeux de la jeune fille brille une lueur claire. Tabisum pense qu'il n'a jamais vu de fille plus jolie.

Ils restent un long moment, près l'un de l'autre, sans se toucher, sans rien se dire. Dans la forêt, Tabisum entend le bruit du vent, les oiseaux, la rumeur de la pluie qui commence à tomber. C'est la fin du jour, le ciel se voile déjà. Alors quelqu'un appelle non loin, une voix de femme inquiète, qui crie un nom, «Lelé!», et Tabisum comprend que c'est le nom de la jeune fille. Et tout d'un coup, elle se retourne, et elle s'enfuit dans la forêt comme un animal effarouché, elle disparaît entre les feuilles, et Tabisum reste figé sur place sans oser passer de l'autre côté du chemin. Puis il retourne vers le village, vers l'arbre sous lequel les hommes réunis ont commencé à boire le kava.

Les semaines, les mois passent, et Tabisum ne peut pas oublier Lelé. Tous les jours, il va dans la forêt, jusqu'au chemin, dans l'espoir de la voir apparaître, d'apercevoir sa silhouette mince, son joli visage, son sourire, et ses yeux clairs. Mais en vain.

Il en perd l'envie de boire et de manger. Lui qui aimait à se parer pour danser sur la place, s'enferme dans la maison de son père, ou bien part dans la forêt sous prétexte de chasser. Son père et sa mère sont inquiets pour lui, ils pensent qu'un mauvais esprit est entré dans son corps. Mais Tabisum refuse de se faire soigner. Il part dans la forêt, vers le nord, il va jusqu'à la limite des feuilles de cycas, il s'assoit sur la même pierre et il attend tout le jour, jusqu'à la nuit.

À la fin, il n'y tient plus. Il prend son arc et ses flèches, sa lance à la pointe durcie au feu. Il a mis ses bijoux, et sur sa poitrine le grand pectoral en nacre que lui a donné son père à sa prise de grade. Il traverse la frontière, et il marche vers le nord, à travers les collines et les ravins. Le soir, il arrive devant le village ennemi, et son cœur bat très fort, non de peur, mais parce qu'il pense qu'il va revoir Lelé.

Quand il entre dans le village, il est aussitôt saisi par les hommes, dépouillé de ses armes et de ses bijoux, et jeté à terre au centre de la place. Ses pieds et ses mains sont entravés comme s'il était un cochon sauvage. Des femmes, des enfants s'approchent de lui et lui jettent des mottes de terre, lui crient des quolibets. Mais Tabisum n'a pas honte. Il pense à la jeune fille qu'il aime, il se redresse sous les coups, et il crie «Lelé!», il crie le nom de la jeune fille jusqu'à ce que la foule s'arrête de le frapper. Il le crie comme si c'était le nom d'une déesse.

Alors le silence qui suit ses cris est pour Tabisum encore plus terrible que les coups et les insultes. Il pense que sans doute Lelé ne l'aime pas, ou bien qu'elle s'est mariée à un autre. Il voudrait mourir.

Mais une femme âgée est venue. Elle parle la langue de Melsissi, elle a été autrefois enlevée par les guerriers de Tabitan, et elle se souvient encore. «Qui cherches-tu?» demande-t-elle. Tabisum répète sans se lasser le nom de Lelé. Il dit qu'elle est celle qu'il aime, qu'il vient la chercher pour l'épouser.

La vieille femme le regarde un instant sans répondre, puis elle dit simplement : «*Mat.*» Lelé est morte. La fièvre l'a prise il y a des mois, et l'a tuée. Elle a été enterrée dans la montagne.

Tabisum est hébété. Il regarde autour de lui sans parler, la folie est entrée dans son âme. Alors les gens défont les liens qui l'entravent, ils poussent Tabisum loin du village, comme s'il était un fantôme.

Tabisum erre longtemps dans la forêt, avant de revenir à son village. Il n'a pas recouvré la raison. Il dessine inlassablement sur la terre, avec un bâton, le même *ruerue*. Deux demi-lunes pour les sourcils à l'arc parfait, le joli visage en forme de cœur, la bouche souriante, et les yeux qui le regardent de côté d'un regard si clair. Quand les gens lui demandent le nom de ce qu'il dessine, il répond seulement : « *Wakit kere*», le regard de côté.

Cela s'est passé il y a très longtemps. Maintenant, Tabisum est mort, et personne ne se souvient de Lelé. Mais les femmes de Raga continuent à tresser leurs nattes et leurs jupes de pandanus, et de temps en temps elles choisissent le dessin de *Wakit kere*, le regard de côté, en souvenir d'un amour impossible.

Sans doute ne devrait-il jamais y avoir d'autre raison au voyage que celle de mesurer exactement ses propres incompétences.

Raga, cette parcelle du continent invisible, dont je me suis approché presque par mégarde, sans savoir ce qu'elle m'offrirait, rêve ou désir, illusion, espoir nouveau, ou simple escale…

Entraperçue, frôlée, Raga déjà s'éloigne.

Raga, île de mémoire, île du temps d'avant les catastrophes et les guerres mortelles. À Santo, à Ambrym, à Tanna, la mémoire est écrite sur les roches noires, sur les monuments. À Raga, la mémoire est dans les montagnes, dans les arbres, dans les barrancas où cascade l'eau lustrale.

Dans le visage souriant de Charlotte, ses enfants, le petit garçon Tabiri qu'elle a adopté.

Dans le geste très doux de la vieille Agathe, qui a

mis sa plus belle robe et pose devant moi, un bou-
quet de fleurs serré sur sa poitrine.

L'histoire récente du Vanuatu a été caricaturée. Du
bislama, la langue officielle, on dit qu'il n'est qu'un
patois (c'est ce qu'on entend dire de la langue créole
de Maurice ou des Antilles). Le bilinguisme anglais/
français est un sujet inépuisable d'anecdotes pour les
nostalgiques de la colonie. On entend encore parler,
comme si c'était hier, de ce haut magistrat qui rendait la justice à Port-Vila en espagnol, en souvenir de
Quirós et de Magellan.

Lorsque l'Occident a refermé ses mâchoires sur les
archipels de l'océan, il était déjà trop tard. Les tambours d'Ambrym, d'Éfaté, les conques de Tahiti,
n'avaient pas suffi pour maintenir au large ces envahisseurs venus sur leurs navires d'acier, ni la foule dis-
parate qui les a suivis, colons, touristes, pédophiles –
les vahinés de quatorze ans mariées à Gauguin ou à
Fletcher –, missionnaires venus extirper les démons
et vêtir la nudité des habitants.

Les grandes puissances se sont affrontées sur ce
théâtre – sans doute le champ de bataille le plus
étendu de toute l'histoire. Français et Anglais à l'est
de l'océan, dans le vaste domaine de la Bible Society.
Anglo-Australiens au sud, en Nouvelle-Zélande,

en Tasmanie. Hollandais et Allemands dans les îles de la Sonde, Américains au nord, Japonais dans le reste.

Il y avait du romantisme dans ces campagnes. L'on partait à l'aventure, pour planter un drapeau, pour en arracher un autre. Parfois les alliances se scellaient entre ennemis, comme entre Flinders et Baudin, ou Dumont d'Urville à la recherche des traces du capitaine Cook. Les légendes ont contribué à rendre cette partie du monde invisible. L'unité de ces peuples a été niée, leurs domaines émiettés, transformés en milliers d'îles offertes à qui voudrait les prendre. Aujourd'hui encore, le Pacifique sert de décor aux récits des derniers « aventuriers », épris d'horizons infinis et d'îles à trésor, où les hommes et les femmes sont généreux et insouciants à l'égal de la nature où ils vivent !

La réalité est tristement banale. Les îles du Sud ont été non seulement les fourre-tout du rêve, mais aussi le rendez-vous des prédateurs. Là où il existait, on coupait le bois de santal. On pêchait sans retenue l'holothurie ou la baleine, on faisait un grand massacre de tortues marines et d'oiseaux. Puis, lorsqu'il n'est plus resté que les hommes, les planteurs du Queensland ou des Fidji, les mineurs de Nouvelle-Calédonie, s'y sont servis en esclaves. Les îles du « paradis » ont été d'abord un enfer pour les bagnards et les prostituées. Dans des temps plus récents, le Pacifique a été le théâtre d'une guerre sans merci, puis est devenu le champ d'expérimentation à ciel ouvert des armements nucléaires. Devait-on se gêner ? Ces archipels lointains n'étaient-ils pas depuis leur conquête *mare nullius* ? N'avait-on pas tous les droits pour en disposer, ainsi que de leurs habitants, sans aucune vergogne ? Divisé, morcelé, réparti entre les grandes puissances coloniales, le continent pacifique devenait invisible. Un non-lieu, peuplé de sauvages, naguère cannibales. Ou, ce qui revient au même, un Éden où tout était en abondance, les fleurs, les fruits, les femmes.

La résistance, c'était l'action désespérée, ultime, de ceux qui se voyaient condamnés à l'asservissement ou à l'extinction. Les mouvements de lutte sont apparus sans cohésion, sans logique. Ils prenaient naissance dans des rêves plutôt que dans des projets révolution-naires. Ici ou là, des poussées de fièvre sans lendemain – des innocents y trouvaient la mort, des familles de colons massacrées à coups de flèches et de massues par les insurgés –, suivies de la répression aveugle de la puissance coloniale qui montait à l'assaut des villages armée de canons. Tous les degrés de la guerre d'oc-cupation ont eu cours : empoisonnement des puits, propagation volontaire de maladies contagieuses, cor-ruption, règlements de comptes entre factions rivales qui œuvraient ainsi pour l'occupant.

Les mouvements messianiques du Vanuatu sont connus ; c'est John Frum et son armée mystique

à Tanna* ou le parti Nagriamel à Espiritu Santo**.
Ce sont toutes les «affaires» qui ont éclaté aux Nouvelles-Hébrides à partir de 1900 jusqu'à l'indépendance. Toutes avaient comme point commun l'espoir
d'un retour vers la «coutume» abolie par la colonisation, et la dispersion par magie des forces d'occupation et des missionnaires. L'un des mouvements les
plus spectaculaires fut celui du «Naked Cult» – le rite
de la nudité –, apparu à Espiritu Santo à l'époque ou
l'ethnologue Jean Guiart avait été chargé par le gou-

---

* Le personnage de John Frum apparut mystérieuse-
ment au début du XXe siècle et donna lieu à une révolte
contre les forces d'occupation anglaises et françaises. L'armée de John Frum portait des fusils en bois et son emblème
fut la croix noire en bois de fer, symbole de la résistance des
Mélanésiens. Après avoir connu des fortunes diverses, le
mouvement disparut en 1980 au moment de l'indépendance
de l'archipel.

** Le meurtre du colon Clapcott en 1890 et la répression
qui s'ensuivit ainsi que l'exécution par les Anglais du roi
Ronovuro déclenchèrent à Espiritu Santo une rébellion qui
s'étendit rapidement à toutes les îles des Nouvelles-Hébrides.
Cette révolte dirigée contre les grands propriétaires terriens
aboutit à la création en 1965 du parti Nagriamel fondé par
Jimmy Stevens (Nagriamel, rencontre de deux mots, *nagria*,
l'échange des femmes captives de guerre, et *namele*, le droit
coutumier). Le mouvement Nagriamel, né à Espiritu Santo,
était francophone et s'opposait au Vanua'aku Pati fondé
à Éfaté par le pasteur protestant Walter Lini, favorable à
l'indépendance et à la langue bislama. Le triomphe de ce dernier conduisit à la création de l'État du Vanuatu en 1980,
après une brève tentative de sécession de l'île d'Espiritu Santo.

vernement français d'effectuer un recensement*. Il symbolisait le retour aux valeurs ancestrales, en intégrant d'une certaine façon les thèmes édéniques du christianisme. Sous l'autorité du chef religieux Tsek, les habitants de la rivière Ora devaient vivre nus, sans objets modernes ni argent, sans relations sexuelles, sans sacrements. Dans son extrémisme identitaire, le Naked Cult visait à retrouver l'état d'avant le péché – avant l'arrivée des Européens – et avant la propriété privée du sol. Le culte ne dura que le temps de la vie de son prophète, vaincu par la maladie ou empoisonné par un rival. Comme pour John Frum, ou comme dans le cas du trop célèbre (et probablement imaginaire) «culte du Cargo», le Naked Cult parlait surtout de cette extraordinaire capacité de résistance des Mélanésiens, qui puisaient dans le mythe et le rêve la force de surmonter la tragédie de leur histoire.

Y a-t-il aujourd'hui une conscience «pacifique» (comme on pourrait parler d'une conscience «latine» ou «africaine»)? L'extrême morcellement de cet immense domaine maritime et la lutte commune contre les puissances coloniales semblent avoir créé des liens entre les peuples.

De nombreuses îles sont encore aujourd'hui sous tutelle, voire sous régime colonial : l'archipel tahi-

* Le Naked Cult a été décrit par Jean Guiart dans *Espiritu Santo*, Paris, Plon, 1958, p. 206.

tien, les Marquises, les îles Loyauté ou la Nouvelle-Calédonie, également Hawaï, Guam, Samoa. D'autres ont accédé à l'indépendance avec plus ou moins de succès – et connaissent les difficultés de l'autonomie, chômage, sous-développement économique, emprise excessive des puissances industrielles, tourisme outrancier. Mais l'information circule. Des liens se tissent entre îles, entre archipels. Bien entendu, il s'agit avant tout d'intérêts économiques, de possibilités de marchés.

Pourtant est perceptible un autre type de relations, quelque chose qui est fait de mémoire, de sentiment. C'est peut-être ce qui reste de la vibration ancienne, le bruit des tambours fendus qui résonnait d'île en île, les masques, les tatouages, les *ruerue* dessinés sur la terre, ou cette voix imprécise et fluctuante des mythes qui jadis unissait ces peuples, d'un bord à l'autre de l'océan infini.

À Melsissi, un soir, après dîner, sœur Gladys raconte sa visite à la grotte d'Ouvéa, du temps où elle était encore pensionnaire à l'école de Nouméa. Elle en parle avec hésitation, parce que je ne suis pas d'ici, et qu'elle peut croire que je représente quelqu'un de l'autre bord, un ennemi de sa race. Sa voix tremble un peu, elle a peine à cacher son émotion, si longtemps après.

Elle était toute petite quand a eu lieu l'«affaire» (pour parler comme les historiens coloniaux). Pourtant elle sait tout, dans le détail, la prise d'otage des gendarmes par les indépendantistes kanaks, l'ultimatum du gouvernement français, puis l'attaque de la grotte par l'armée, et le double massacre, les gendarmes assassinés dans la grotte à coups de machettes et les dix-neuf insurgés kanaks abattus dans les fourrés, hommes, certains encore très jeunes, fauchés à la mitrailleuse, leurs corps mis à la hâte dans des sacs-poubelle et emportés par les hélicos.

On a beaucoup écrit, longuement disserté, sur ces événements terribles qui ont marqué la lutte légitime des Kanaks pour tenter d'arracher leur indépendance. Malgré une enquête diligentée par l'ONU, la responsabilité des leaders d'Ouvéa, ou celle de l'armée française, mal informée, mal commandée par le gouvernement bicéphale de l'époque (Mitterrand président, Chirac Premier ministre), n'a pas été établie. Il est douteux qu'on connaisse jamais la vérité.

Sœur Gladys ne juge pas. Elle dit seulement son émotion quand, adolescente, elle est entrée dans la grotte, guidée par les gardiens du mouvement kanak qui a fait de ce lieu un sanctuaire, et qu'elle a vu les petites bougies allumées qui brûlent en souvenir des morts. Les traces du dernier repas des prisonniers, avant l'attaque de la grotte. Les fleurs, les offrandes déposées au fond de la grotte, et les dix-neuf tas de pierres dont chacun représente une victime du peuple kanak. Elle a respiré l'air de la grotte, mêlé de fumée et de parfums, elle a frissonné dans la fraîcheur familière de ce tombeau, comme si étaient encore présentes la colère et la peur qui l'avaient imprégné au moment fatal. Comme si restait dans ce lieu maudit une parcelle de l'espoir qui animait les combattants, de leur soif de justice et de reconnaissance. Maintenant, cela fait partie de sœur Gladys, même si elle n'est pas de là-bas, même si elle est de Raga, de langue apma, et que son pays est très loin de la grande terre de la Nouvelle-Calédonie. Peut-être une foi en elle, l'espoir d'une religion nouvelle, à laquelle se mêlent le roulement ancien des tambours et les voix des chœurs chantant les hymnes, et le martèlement des pieds nus sur toutes les places des villages d'Océanie.

La rivière Palimsi coule paisiblement au milieu des plantations de cocotiers et des champs d'ignames. À l'embouchure de la rivière se trouve Pangi, le plus gros village du sud-ouest de Pentecôte. C'est le domaine de la langue sa, parlée jusqu'à Bunlap et Baie-Barrier, et de l'autre côté de l'isthme, dans le nord de l'île d'Ambrym. Du fait du mouillage de la baie Homo, et de la popularité du saut du Gol, c'est aussi la région la plus développée pour le tourisme. Chaque année, à la fin mars, après la récolte des ignames, des centaines de bateaux envahissent la baie, voiliers de navigateurs solitaires et navires de croisière, venus d'Australie, de Nouvelle-Zélande, parfois même d'Afrique du Sud ou d'Amérique. Les bungalows du chef Willie affichent complet, et l'unique 4×4 rouge de l'épicier de Pangi fait des allers-retours quotidiens vers Bunlap et Baie-Barrier, où il doit y avoir plus de touristes que d'habitants.

C'est le monde moderne. On peut regretter le temps où les villages vivaient leurs traditions, sans témoins, sans caméscopes ni calendrier officiel. Mais c'est la réalité.

Je marche le long de la rivière, en compagnie de Willie junior, le plus jeune fils du chef Bebé. C'est un garçon de onze ans, petit, vif, l'air intelligent. Il se tient derrière moi à distance respectueuse, mais il me guide dans l'enchevêtrement des sentiers. La société mélanésienne a certainement beaucoup changé, mais elle maintient le respect des aînés, et cela me plaît.

Palimsi est un village de l'intérieur, pas très éloigné de la côte. Je pouvais choisir d'aller voir Bunlap (avec le 4×4 rouge de l'épicier) ou Baie-Barrier. Ce sont des lieux réputés spectaculaires. Bunlap est connu pour avoir maintenu le *kastom*, paganisme et étuis péniens. On dit de ses habitants qu'ils ont gardé les traits de la culture mélanésienne originelle. C'est bien possible. En même temps, ils sont très impliqués dans l'économie touristique. Pour filmer Bunlap, une équipe de télévision s'est vu réclamer récemment une somme forfaitaire de vingt mille dollars. Prendre des photos, dessiner, donnent lieu à des droits. Il est impossible d'aller là simplement pour se promener. Toute cette organisation autour des seins nus et des étuis péniens ne me tente pas. Il faudrait avoir le temps, rencontrer des gens, éviter les circuits, parler la langue. Je préfère, compte tenu des circonstances, lire Margaret Jolly et le père Élie Tattevin.

Personne ne va jamais à Palimsi. C'est un village protestant. En réalité, il est converti à cette nouvelle religion qui sera peut-être celle du XXIe siècle à travers le monde, qui ne doit rien au catholicisme ni au protestantisme, mais qui veut boire directement à la source du Christ. Le fils de Willie Bebé m'accompagne, parce qu'il va à l'église de Palimsi pour chanter. À Tahiti, aux Marquises, j'ai entendu les chants dans les églises ouvertes. J'ai aimé le doux balancement de la langue mao'hi, les robes fleuries des femmes. La simplicité des cérémonies.

Un peu avant d'arriver à Palimsi, j'aperçois un rassemblement au bord de la rivière. «C'est un baptême», m'explique Willie junior. Il continue vers le village, et moi je descends vers la rivière. Le sentier s'achève et je dois me déchausser pour marcher dans l'eau.

Sur la berge, au soleil, dans un plat envahi d'herbes, la foule est assemblée. Pour décorer, on a planté de longues tiges fleuries, des cannas rouge vif, de grandes palmes. Il y a là des hommes en pantalon et chemise bariolée, des femmes dans les longues robes multicolores du Pacifique, des jeunes habillés comme tous les jeunes d'aujourd'hui, jeans, sweat-shirts et sneakers. Malgré le soleil qui plombe, tous les hommes sont nu-tête. Les femmes ont ouvert leurs ombrelles. Tout le monde attend devant la rivière en silence.

Je regarde la rivière. Je crois que je n'ai jamais vu plus jolie rivière (c'est vrai que c'est une graduation difficile à prouver). Elle est lumineuse et transparente, elle scintille dans son canal, son eau glisse lentement en des mouvements différents qui tracent de grandes lisses creusées de petits tourbillons. Partout elle reflète le ciel. Sur l'autre rive, de grands arbres font de l'ombre, des roches noires forment un barrage. Au loin, vers sa source, ce sont les collines. Le seul bruit, c'est le glissement de l'eau, très doux et très puissant.

Je reste un peu à l'écart. J'ai ôté ma casquette, comme je l'aurais fait dans un temple. Je sens le poids du soleil sur ma nuque, et l'eau froide qui entoure mes pieds et mes chevilles.

Puis l'assemblée commence à chanter, en langue sa, sur la cadence un peu lente et rythmée des chansons du Vanuatu, comme j'en ai entendu dans les jardins, au centre de Port-Vila. Hommes et femmes chantent en chœur, en se balançant lentement, puis ils s'arrêtent et on entend la voix d'un bébé qui pleurniche, ou bien au loin un aboiement, un bruit familier de la campagne, un coq qui crie.

La foule s'écarte. Un homme conduit une jeune femme à la rivière. Elle doit avoir vingt ans à peu près, elle est vêtue d'une belle robe blanc et rose à franges qui montre ses formes épanouies. Elle a un joli visage couleur de bois brûlé, une masse de cheveux frisés éclaircis à la chaux de corail.

Les chants se sont tus. L'homme guide la femme vers le centre de la rivière. Ils sont dans l'eau jusqu'à la taille. La rivière coule autour d'eux et je peux imaginer le froid qui pénètre leurs corps, colle leurs vêtements à la peau et les fait frissonner. Au-dessus, le ciel est sans nuages, d'un bleu éblouissant.

Doucement, lentement, d'un geste de lutteur au ralenti, l'homme prend la jeune femme et la bascule en arrière et la submerge dans la rivière. Juste une ou deux secondes, ils disparaissent tous les deux dans l'eau. Puis ils refont surface et la jeune femme tousse et s'ébroue et les gouttes d'eau s'échappent de sa chevelure en gerbes d'étincelles. Sur la berge, il y a des cris, des applaudissements de joie. Puis les deux baigneurs regagnent la rive, et les chants balançant recommencent, lentement, comme pour accompagner la marche alourdie des plongeurs. Un bref instant, la rivière Palimsi était la rivière Jourdain, malgré l'éloignement du temps, malgré le poids des siècles, malgré l'usure de la connaissance, et tout est simple de nouveau.

Îles

Îles,
Corps enfouis
Enfuis
En bois noir, bois de natte, palmes, multipliants
Feuilles et fruits offerts
Mais soudain refermés
Dans leur éternelle souffrance

Que me donne l'île quand je m'en vais ?
Que suis-je venu y chercher ?
N'est-il pas ironique que les plus beaux textes écrits sur ces îles
Tanna, Ambrym, Hiva Oa, Nuku Hiva,
aient eu pour auteurs les deux hommes qui se sont les plus mal conduits à l'égard de leurs habitants, l'un, Robert James Fletcher, qui vécut à Tanna, mangea de ses fruits et but de son eau et viola le corps d'une fillette à peine pubère à qui il fit deux enfants avant

de la donner en cadeau à l'un de ses serviteurs, et d'écrire *Isles of Illusions*.

L'autre, Paul Gauguin, dans *Noa Noa*, journal d'un homme pervers qui profita de la conquête pour assouvir ses désirs et laisser à jamais l'image d'une femme polynésienne réduite à un simple objet très lisse, très doux et très docile?

L'île se ferme
Sa fourrure sombre se resserre sur les lèvres de sa plaie
Sur les traces des viols
Sur les meurtrissures
Le vol des âmes et des masques
Les rêves d'or et de domination

Ceux qui étaient venus sont repartis
Sans laisser d'adresse
Or la terre pleurait, sachant qu'elle est l'éternité*.

Était-ce pour cela? Était-ce pour constater cette fermeture? Fallait-il que je traverse deux ou trois mers pour arriver jusqu'ici?

Suis-je moi aussi d'une île? Ou ai-je voulu le croire?

Je me souviens maintenant de ce rêve récurrent de mon enfance: au terme d'un long voyage en bateau,

* Édouard Glissant, *Les Indes*, «La conquête».

j'entre dans une baie baignée de lumière, où s'ouvre l'estuaire d'une rivière bordée de mangroves, et sur la rive m'attend un peuple sombre, des filles au corps brillant, des enfants souriants. C'est un pays sans retour, un lieu de perfection où l'air brûlant chargé de gouttes de pluie en suspens pénètre au plus profond de mes poumons, et je sens la respiration du bonheur, la sueur douce du bonheur, le vertige de l'accomplissement.

Un rêve, du banal en somme.

N'est-il pas ironique, encore une fois, que les plus beaux passages des sciences humaines (ainsi qu'on se plaît à les nommer) n'aient eu pour source que des images de rêve, des bribes arrachées aux pages de Pierre Loti ou de Victor Segalen, un balancement un peu hiératique à la manière de Saint-John Perse, si ce n'est une parodie des élucubrations racistes de *Barnavaux, soldat de France*?

Dans le flot incroyablement prolifique qui a accompagné la conquête du Pacifique, on trouve le meilleur et le pire. Le meilleur, évidemment, ce sont les recherches anthropologiques qui ont ouvert les yeux de l'Occident sur la richesse et la complexité des peuples de l'Océanie, sur leur science de la navigation et de l'agriculture hydraulique, sur leur art, leur culture, leur cosmogonie. Margaret Mead, Malinowski, Mauss, Leenhardt. Le père Élie Tattevin qui a édité le premier lexique des langues sa et apma, Margaret Jolly qui a recueilli les mythes de Raga. Joël Bonnemaison qui a fait un portrait passionné des gens de Tanna (*L'Arbre et la Pirogue*) et des structures politiques du Vanuatu ; Jean Guiart qui établit une relation très personnelle avec les gens d'Espiritu Santo et pratiqua une ethnographie musclée, non exempte de paternalisme (allant jusqu'à s'investir dans des projets coloniaux visant à introduire dans les îles la culture du café et le capitalisme). O'Reilly, Marcel Évrard, Lamont Lindstrom, William Miles qui ont étudié les prises de grade, les échanges, les cérémonies, les rites du mariage et de l'enterrement. Goodenough, qui a créé de toutes pièces le fantasme du « culte du Cargo », Beatrice Grimshaw qui a tenté de démystifier celui du cannibalisme. Edward Dodd, Abraham Fornander, David Lewis, A. C. Haddon, Andrew Sharp, qui ont voulu, chacun à sa façon, expliquer l'épopée de la migration des Mélanésiens et des Polynésiens à travers l'océan. Maurice Leenhardt, qui a « inventé » la culture Lapita sur la côte ouest de la Nouvelle-Calédonie, l'une des plus anciennes du monde. Alexander Shand, Hare Hongi, qui ont inspiré à Maud Worcester Makemson son très bel essai sur la cosmographie et la science de la navigation des anciens Mao'hi (*The Morning Star Rises*, 1941) – en dépit de son idée fantaisiste d'une origine indo-européenne ou sanskrite des Polynésiens. Les journaux des découvreurs et des voyageurs des siècles passés, de Cook à Bougainville, de Jack London à Segalen. Le plus beau récit de voyage étant sans doute celui écrit en 1846 par le jeune scientifique Thomas Henry Huxley, inspiré par Charles Darwin. À bord du navire *Rattlesnake* il explore les côtes de la Louisiade et de la Nouvelle-Guinée, et tente de rendre compte de la beauté des pirogues, de la douceur des habitants, ainsi que du traitement souvent inhumain que les explorateurs armés venus d'Europe infligent aux Mélanésiens.

Le pire, c'est tout ce qui s'est ensuivi, la profusion de reportages, récits d'aventures, films documentaires à sensation – l'épisode du « culte du Cargo » filmé à Tanna par les cinéastes Jacopetti et Cavara pour leur « documentaire-choc » *Mondo Cane* projeté à Cannes en 1962 –, toute cette scorie qui a contribué à donner aux Européens l'image d'un monde perdu, habité par des anthropophages survivants de l'âge de pierre, obsédés par la magie et ignorants de la civilisation. Le pire, ce sont aussi ces écrits patriotiques de l'ère coloniale, quand les grandes puissances s'affrontent pour la possession des îles et de leurs habitants, tel l'*Erromango* de Pierre Benoit, paru dans l'entre-deux-guerres, où il affirme la « destinée française des Nouvelles-Hébrides » – un journaliste n'a-t-il pas décrit à sa suite, dans les années soixante, la Nouvelle-Calédonie comme le plus grand porte-avions de la marine nationale ?

Le long corps de Raga s'éloigne, se perd dans les nuages. Vue du hublot du bimoteur Canadair de Vanair, à trois mille mètres de hauteur, l'île ressemble à une longue loche d'émeraude sommeillant sur la platitude de l'océan. La particularité des îles est que, si elles se laissent prendre facilement, par surprise, elles se reprennent aussi vite. En 1810, après une résistance héroïque des Français dans la bataille du Grand-Port, les troupes anglaises ont envahi Maurice par le nord, et l'ont occupée sans coup férir. Aujourd'hui, après cent cinquante années de règne, que reste-t-il à Maurice de la présence britannique ? Ceux qui possèdent les îles sont ceux qui les ont nourries de leur sueur et de leur sang, qu'ils soient créoles venus d'Afrique ou de Madagascar, Indiens ou Chinois descendants des travailleurs agricoles ou Français et Bretons fuyant la famine après la Révolution, et qui ont lentement construit leur nouvelle patrie.

Au Vanuatu, en Océanie, de même. Longuement, patiemment, les peuples autochtones ont recouvré leur indépendance. Ils se sont libérés des tutelles coloniales, ils ont inventé une nouvelle langue créole, le bislama. Ils ont édifié une nouvelle culture, une nouvelle religion, issues de la rencontre.

Je dis que l'île, après la violence de la conquête, se referme. Non qu'elle s'enferme dans son passé, qu'elle s'emprisonne dans sa mémoire. En vérité, l'île est sans doute l'un des lieux où la mémoire figée a le moins d'importance. Antilles, Mascareignes, mais aussi atolls du Pacifique, archipels de la Société, des Gambier, Micronésie, Mélanésie, Indonésie. Ils ont connu des viols et des crimes si insupportables, si exécrables, qu'il fallait bien, à un moment de leur histoire, que leurs habitants détournent le regard et réapprennent à vivre, sous peine de sombrer dans le nihilisme et le désespoir.

Les plaies se sont cicatrisées. Les herbes folles ont envahi les domaines des planteurs, ont recouvert les vieux murs de pierre noire où tant d'hommes et de femmes ont croupi jusqu'à la mort. Sur les plages de la baie de Tamarin à Maurice, au Diamant à la Martinique, à Port-Vila ou à la baie Homo au Vanuatu, partout où les bateaux des négriers débarquaient ou embarquaient leur cargaison humaine, aujourd'hui les enfants jouent en toute innocence, les orchestres ambulants s'installent au crépuscule pour faire danser le séga, la biguine, le zouk, le reggae, pour jouer du steel-drum ou de la ravanne, pour chanter des chansons d'amour ou de mélancolie. Les marchés spontanés sont dressés à l'aube, au pied des banians et des filaos, pour vendre du poisson, du taro, des ignames, des beignets de cassave et des gâteaux piments. Du fracas des langues africaines, caraïbes ou mélanésiennes anéanties ou méprisées, dans le cul-de-basse-fosse de l'asservissement, parmi les spoliations, les viols, les rapts, et dans la négation de leur passé qui les dépouillait de toute identité, les peuples de la mer ont inventé une langue, un nom, une âme qui leur sont propres.

Patois, créole, bislama, tok pisin, c'est la «langue-nous», qui s'empare des mots et des moyens de la langue des maîtres, la fond et la retourne, renverse sa syntaxe et se moque de ses subordonnées, en fait son bien et son bonheur. Aux Antilles, aux Mascareignes, les langues originelles africaines et amérindiennes ont été assassinées volontairement par tous ceux qui voulaient rendre les hommes et les femmes qu'ils possédaient semblables aux animaux de leur cheptel, c'est-à-dire dépourvus de toute langue. Ils voulaient mettre sur la bouche de leurs serviteurs un bâillon mental. La version invisible de ce masque qui servait parfois à museler les esclaves récalcitrants à Saint-Domingue.

La question de la naissance des langues créoles a donné lieu à des raccourcis simplistes. L'on a dit qu'elles étaient avant tout « *lingua franca* » utiles aux échanges commerciaux, versions simplifiées des langues des maîtres destinées à une communication verticale, pour maintenir l'ordre et pour punir. En créole mauricien, voler, c'est « faire coquin » ; regarder, c'est « guetter » ; chercher, c'est « rôder » ; le maître, c'est « grand moune ».

Dans l'espagnol criollo du Mexique, la forme de politesse c'est « *¿Mande usted?* » (Que commandez-vous ?).

Le créole est parfois comique, par les sons, par les répétitions. C'est même la vertu première que lui reconnaissent les non-créolophones. En bislama du Vanuatu, manger c'est *kaïkaï* ; la musique, c'est *sing-sing*. Mais derrière le comique bon enfant se cache la violence des rapports. En pisin des Salomon, on ne dit pas : « *please leave* » (veuillez sortir) ; on dit : « *bag-geroff* » (foutez le camp) ; pour dire : « il est en colère », on dit : « *him pissop* » (*pissed up*). Langage de soudard plutôt que de doux missionnaire…

On dit du créole qu'il est une invention des gens des îles, pour faire face à l'agression des conquérants. Il en a été ainsi du français, de l'occitan, du castillan ou du catalan, eux-mêmes créoles du latin. Du créole des îles on loue le sens de la musique, la poésie, l'imaginaire, la drôlerie, parfois la sagesse. Sans doute.

Mais c'est de violence qu'il faudrait surtout parler. S'ils diffèrent, s'ils ont évolué dans des directions opposées, connu des fortunes diverses, ce qui rassemble les créoles (des Mascareignes, des Antilles ou de l'Océanie), c'est qu'ils sont nés de la violence. Les créoles en sont imprégnés. Ils sont marqués par le combat pour la survie, par la volonté de leurs locuteurs de surmonter le système de déshumanisation mis en place par la plantation, la mine ou les camps de travail forcé. Sous leur apparente facilité, dans leur musique et leur légèreté quasi enfantine (n'aime-t-on pas les comparer parfois au babil des oiseaux tropicaux?) se cache la tragédie de l'histoire des îles. Il y a une musique, certes, mais c'est celle des fêtes secrètes, en marge de la plantation, dans quelque clairière au milieu de la forêt, ou sur une plage isolée autour d'un brasier. Fêtes de marrons, fêtes de «broussards» comme on les appelle au temps de la colonie française aux Nouvelles-Hébrides. Le séga, le maloya, les chants aigus des Mélanésiens accompagnés d'ukulélé sont des musiques amoureuses, mais l'amour n'y a rien de commun avec les ballades courtoises des grandes maisons des planteurs, ni avec les bals aux lampions qui se tiennent à Port-Louis au moment même où les troupes anglaises et les miliciens des planteurs encerclent la bande des esclaves révoltés de Ratsitatane. C'est un amour violent, charnel, parce que le sexe et la révolte ont un lien, un commun terrain, puisque la maîtrise des propriétaires terriens sur leurs esclaves est aussi une maîtrise sur leur sexualité, une négation des sentiments amoureux.

Dans les îles du Pacifique, la violence l'emporte

sur la musique, la guerre sur les jeux de l'amour. La conquête y est sans doute plus récente – dans certains lieux proches de l'Australie, ou dans Hawaï écrasé par la tutelle nord-américaine, elle n'est pas encore achevée. La spoliation des terres, la prédation des négriers, se sont heurtées à la résistance des langues vernaculaires. Mais il ne faut pas s'y tromper. Ici aussi s'est instaurée une communication fondée sur la violence. Les voyageurs qui arrivent sur ces rivages au XIXe siècle peuvent parfois parler de douceur, de langueur, évoquer avec émotion ces femmes-fleurs qui leur offrent leur beauté. La réalité est dans le viol des corps et des consciences, et dans les révoltes qui s'ensuivent : à Tahiti, au Vanuatu, en Nouvelle-Guinée, en Nouvelle-Calédonie. Magie, grigris, empoisonnements. Parfois règlements de comptes sanglants. Et toujours cette violence dans la musique, dans la danse.

Si la douceur des parlers créoles a pu faire illusion, laisser croire aux conquérants que les peuples qu'ils avaient soumis étaient de grands enfants, parfois un peu turbulents et qu'il fallait mater, la violence les trouble aussi. Ils ne manquent pas de signaler dans leurs récits la laideur des langues autochtones, particulièrement en Mélanésie. Les cris gutturaux, les danses qui semblent des simulacres de combat, ou au contraire qui contrefont l'acte amoureux de façon bestiale, la hideur des peintures sur les visages et sur les corps, l'extravagance des costumes et des coiffures qui ont pour pendant – à la même époque exactement – ceux des «sauvages» de l'Amérique du Nord ou du Brésil.

Pour avoir connu, dans un espace de temps aussi bref, l'extrême violence de l'ère coloniale, les peuples créoles – aussi bien ceux asservis au système de la plantation que ceux des îles à prendre du Pacifique – sont devenus les peuples les plus révolutionnaires de toute l'Histoire.

Tout chez eux, dans les arts, la musique, l'incantation, et jusqu'à l'invention de leurs langues, montre la volonté de résister, le goût d'apprendre. Tout chez eux, dans leur manière d'être comme dans leur manière de comprendre le monde, montre la capacité de se changer, de se survivre et de se réinventer.

Les sociétés des grands socles continentaux, malgré leurs religions «révélées» et le caractère soi-disant universel de leurs démocraties, ont failli à leur tâche et nié les principes mêmes sur lesquels elles s'étaient établies. L'esclavage, la conquête, la colonisation et les guerres à l'échelle mondiale ont mis en évidence cette faillite. Ces événements ont révélé des plaques tectoniques dont les mouvements ont créé les séismes actuels, et qui servent encore aux théoriciens et aux faux prophètes des «chocs de civilisations» pour justifier les guerres de domination. L'échec de ces grandes sociétés est sans doute la menace la plus grande que connaît le monde aujourd'hui.

Révolutionnaires, les peuples des îles n'ont pour eux que le pouvoir de l'exemple, leur beauté, leur rêve qui a pris naissance dans la souffrance et l'oubli. Dans l'expérience de la violence, ces peuples ont trouvé le remède de la sagesse, du doute et de l'humour. Leur scepticisme n'est pas feint, il n'a rien à voir avec le cynisme de la modernité. Sur leurs rivages lointains sont venues mourir les vagues de toutes les tempêtes qui ont balayé les continents. Leur innocence n'est pas une inconscience.

Le «miroir de la mer» dont parlait Joseph Conrad est la conscience des peuples des îles. Dans ses tumultes comme dans le calme de ses lagons, il ne retient pas l'image individuelle. La mer est ce lieu où tout peut apparaître, à chaque instant. De l'horizon tout peut venir. De mortelles menaces, de noirs vaisseaux montés par des mercenaires et des missionnaires, conquérants, fanatiques bienfaiteurs qui veulent plier le monde à leur idée, ou spoliateurs sans scrupules venus, comme naguère, s'emparer des terres, des enfants, ou de leurs images.

Mais surgissent aussi tous les bruissements du monde, les rêves, les dieux nouveaux, venus danser sur les plages pour plaire aux gens des îles, les chants nouveaux, les musiques nouvelles. Quelques gadgets qui peuvent rendre la vie plus facile. Parfois, des médecines, des recettes, une pommade pour cicatriser les plaies, un cachet pour calmer les maux de ventre.

Et surtout, la connaissance, par les livres, les journaux, les cassettes vidéo. L'amour de la liberté, l'espace.

Le métissage mental, à propos de quoi le poète Édouard Glissant dit que les gens des îles ont cent ans d'avance sur tous les autres peuples de la terre. Ce «frottement», cette aventure naturelle du mélange qui a fait de la Caraïbe – et encore une fois, cela doit être vrai de tous les archipels – «un des lieux du monde où la relation le plus visiblement se donne, une des zones d'éclat où elle paraît se renforcer[*]».

Aventure est le nom qu'il faut garder.
Un mot qui a été détourné de son sens.
Un mot aujourd'hui estropié, d'avoir servi de fourre-tout, de va-tout, d'exutoire aux incapacités.
Un mot qu'il faut maintenant retourner : l'arracher comme un vêtement dans lequel se sont drapés les sinistres apôtres de la conquête et les profiteurs confits d'exotisme.
Un mot qui doit être la bannière des peuples des îles, des peuples de la mer, les seuls à avoir surmonté leur tragique destinée pour devenir autres.

[*] Édouard Glissant, *Poétique de la relation.*

Raga se referme, s'éloigne.

Je pense alors à la facilité avec laquelle chacun de ses habitants est prêt à prendre son envol, comme jadis lorsqu'ils se tenaient au bord de la falaise et transperçaient l'horizon de leur regard avant de pousser la pirogue vers la haute mer.

Je pense à Willie Orion Bebé, à l'histoire déjà longue de sa vie, qui l'a mené du village de Bunlap jusqu'aux mines de nickel de la Nouvelle-Calédonie, qui l'a fait marin à bord d'un caboteur allant d'île en île, puis homme d'affaires à la baie Homo. Aujourd'hui il souhaite repartir pour un pays qu'il ne connaît pas, le Queensland d'Australie où il a rêvé qu'il retrouverait les descendants de ceux que les *blackbirders* ont jadis emportés. Je pense aux gens d'Anatom, des Banks, des Salomon, prêts à s'exiler en Amérique, en Nouvelle-Zélande ou en France, à la recherche d'argent, de travail, mais aussi d'une expérience nouvelle. Aux femmes Mao'hi de Tahiti, aux Mélanésiennes qui voyagent sur les ponts des bateaux, parcourent sans plan, sans provisions, avec une invincible confiance en leur bonne étoile, toutes les îles, comme s'il n'y avait jamais eu de frontières. Sœur Winchester, venue d'Anaa pour connaître le peuple des Marquises. Sœur Gladys, prête à aller là où sa foi l'appelle, en Afrique, au Vietnam. Charlotte Wèi, capable d'embarquer n'importe quand sur le cargo qui transporte les ballots de kava, pour aller vendre ses nattes et ses paniers tressés sur le marché d'Éfaté, de Lifou ou de Nouméa – et toutes celles comme elle qu'on voit sur les quais poussiéreux, et que le vent et le soleil n'affectent pas, ni la faim ni la peur, non parce qu'elles se sont endurcies, mais parce qu'elles aiment mieux leur liberté que leur confort.

Comme pour les nomades du désert, les États modernes ont tenté d'enfermer les peuples de la mer dans le grillé des frontières. Grâce à leur goût de l'aventure, grâce à leur sens de la relativité, à chaque instant de leur vie ces peuples s'en échappent. La plupart des nations du Pacifique ou de l'océan Indien sont parmi les plus jeunes du monde. Vingt ans à peine pour les Ni-Vanuatu, une trentaine d'années pour les Mauriciens, les Seychellois, pour les îliens de la Caraïbe. Pour certaines îles, l'indépendance reste encore un idéal difficile à réaliser. La nostalgie d'un passé idyllique n'est pas de mise. Lorsque sur l'immensité des océans sera restaurée la liberté, c'est-à-dire l'échange commercial, culturel et politique trop longtemps interrompu, alors recommencera à exister cet ancien continent, qui n'était invisible que parce que nous étions aveugles. Mais cela est sans doute une autre histoire…

Port-Vila, hiver austral 2005 –
Albuquerque, été boréal 2006

Bibliographie

Joël Bonnemaison, *L'Arbre et la Pirogue*, Paris, ORSTOM, 1986.

Louis Antoine de Bougainville, *Voyage autour du monde*, Paris, 1810.

Robert James Fletcher, *Isles of Illusions*, Londres, Bohun Lynch, 1923.

Édouard Glissant, *Les Indes*, Paris, Le Seuil, 1985.

Édouard Glissant, *Poétique de la relation*, Paris, Gallimard, 1990.

Charlène Gourguechon, *L'Archipel des tabous*, Paris, Laffont, 1974.

Jean Guiart, *Espiritu Santo*, Paris, Plon, 1958.

Tom Harrisson, *Savage Civilization*, New York, 1937.

Tevira Henry, *Tahiti aux temps anciens*, Paris, Musée de l'Homme, 1968.

Thomas Henry Huxley, *Diary of the voyage of HMS Rattlesnake*, Londres, 1936.

Margaret Jolly, *Women of the Place: kastom, colonialism, and gender in Vanuatu*, Philadelphie, Harwood Academic Publishers, 1994.

Margaret Jolly, « Spouses and siblings in Sa stories », *Australian Journal of Anthropology*, août 2003.

Vincent Lebot, Mark Merlin, Lamont Lindstrom, *Kava, the Pacific Drug*, New Haven - Londres, Yale University Press, 1992.

Maud Worcester Makemson, *The Morning Star Rises*, New Have, Yale University, 1941.

Geneviève Mescam, Denis Coulombier, *Pentecost, an Island in Vanuatu*, Suva, University of the South Pacific, 1989.

William Miles, *Bridging Mental Boundaries*, University of Hawaii, 1998.

Pedro Fernandes de Quirós, *Memoriales de las Indias Australes*, Madrid, Historia, 1991.

Élie Tattevin, «Sur les bords de la mer sauvage», *Revue d'histoire des missions*, Paris, 1926-1927.

Élie Tattevin, «Mythes et légendes du sud de l'île Pentecôte», revue *Anthropos*, 1929-1931.

Table

Le Procès-Verbal

roman
Gallimard, 1963
Gallimard, « Folio », n° 353, 1973
rééd. Futuropolis, 1989
(illustrations d'Edmond Baudoin)

La Fièvre

roman
Gallimard, 1965, 1987
et « L'Imaginaire », n° 253

Le Déluge

roman
Gallimard, 1966
et « L'Imaginaire », n° 309

Terra Amata

roman
Gallimard, 1967

L'Extase matérielle

essai
Gallimard, 1967
et coll. « Idées », n° 239
et « Folio essais », n° 212
rééd. Le Rocher, 1999

Le Livre des fuites

roman
Gallimard, 1969
et « L'Imaginaire », n° 225

La Guerre

roman
Gallimard, 1970
et « L'Imaginaire », n° 271

Conversations avec J. M. G. Le Clézio

(en collaboration avec Pierre Lhoste)
entretien
Mercure de France, 1971

Haï

Skira, 1917
Skira / Flammarion, 1991

Les Géants

roman
Gallimard, 1973
et « L'Imaginaire », n° 362

Mydriase

(illustrations de Vladimir Velickov)
recueil
Fata Morgana, 1973, 1993

Voyages de l'autre côté

roman
Gallimard, 1975
et « L'Imaginaire », n° 326

Les Prophéties du Chilam Balam

(version et présentation de J. M. G. Le Clézio)
essai religieux
Gallimard, 1976

Voyage au pays des arbres

(illustrations de Henri Gakeron)
album
Gallimard-jeunesse, 1978

Mondo et autres histoires

roman
Gallimard, 1978
Gallimard, « Folio », n° 1365, 1982
et « Folioplus », n° 18
et « Folioplus classiques », n° 67

Vers les icebergs

essai
Fata Morgana, 1985

Désert

roman
Gallimard, 1980
et « Folio », n° 1670

Trois villes saintes
essai
Gallimard, 1980

Celui qui n'avait jamais vu la mer
suivi de La Montagne du Dieu vivant
roman
Gallimard-jeunesse, 1982

La Ronde et autres faits divers
nouvelles
Gallimard, 1982
et « Folio », n° 2148

Lullaby
roman
Gallimard-jeunesse, 1983
et « Folio-junior », n° 448

Relation de Michoacan
roman
Gallimard, 1984

Villa Aurora
(illustrations de Georges Lemoine)
album
Gallimard-jeunesse, 1985

Balaabilou
(illustrations de Georges Lemoine)
album
Gallimard-jeunesse, 1985

**Le jour où Beaumont fit connaissance
avec sa douleur**
roman
Mercure de France, 1985
et « Le Petit Mercure », 2001

Voyage à Rodrigues
correspondance
Gallimard, 1986
et « Folio », n° 2949

Sur Lautréamont
*(en collaboration avec Maurice Blanchot
et Julien Gracq)*
étude
Complexe, Bruxelles, 1987

Les Années Cannes : 40 ans de festival
(en collaboration avec Robert Chazal)
album
Hatier, 1987

Le Rêve mexicain ou la Pensée interrompue
essai
Gallimard, 1988
et « Folio essais », n° 178

Le Chercheur d'or
roman
Gallimard, 1988

Printemps et autres saisons
nouvelles
Gallimard, 1989
et « Folio », n° 2264

La Grande vie
Peuple du ciel
album
(illustrations de Georges Lemoine)
Gallimard-jeunesse, 1990

Onitsha
roman
Gallimard, 1991
et « Folio », n° 2472

Pawana
roman
Gallimard, 1992

Étoile errante
roman
Feryane, 1992
et « Folio », n° 2592

Diego et Frida

roman
Stock, 1993
et « Folio », n° 2746

Mondo, Jean-Marie Le Clézio

(en collaboration avec Franck Evrard et Éric Tenet)
scolaire
Bertrand-Lacoste, 1994

Ailleurs : entretiens avec Jean-Louis Ezine

(en collaboration avec Jean-Louis Ezine)
entretien
Arléa, 1995
et « Arléa-poche », n° 13

La quarantaine

roman
Gallimard, « Folio », n° 2974

Poisson d'or

roman
Gallimard, 1995
et « Folio », n° 3192

La Fête chantée : et autres essais
de thème amérindien

essai
Gallimard, « Le promeneur », 1997

Gens des nuages

correspondance
(en collaboration avec Gélia Le Clézio)
(photographies de Bruno Barbey)
Stock, 1997
et « Folio », n° 3284

L'Inconnu sur la Terre : essai

essai
Gallimard, 1998
et « L'Imaginaire », n° 394

Hasard
suivi de Angoli Mola
roman
Gallimard, 1999
et « Folio », n° 3460

Cœur brûle, et autres romances
roman
Gallimard, 2000
et « Folio », n° 3667

Tatabata
(en collaboration avec Bernard-Marie Koltès)
album
Ibis rouge, 2002

Peuple du ciel
roman
Gallimard, « Folio », n° 3792, 2003

Révolutions
roman
Gallimard, 2003
et « Folio », n° 4095

L'Africain
correspondance
Mercure de France, 2004
et Feryane, 2004

Ourania
roman
Gallimard, 2006
et Feryane, 2007
et « Folio », à paraître

Ballaciner
essai
Gallimard, 2007

RÉALISATION : PAO ÉDITIONS DU SEUIL
IMPRESSION : BRODARD ET TAUPIN À LA FLÈCHE
DÉPÔT LÉGAL : OCTOBRE 2007. N° 96504 (43633)
IMPRIMÉ EN FRANCE

Collection Points